Introduction à l'analyse linguistique de la poésie

Collection dirigée par Guy Serbat

Linguistique nouvelle

Introduction à l'analyse linguistique de la poésie

JEAN MOLINO

JOËLLE TAMINE

This book is eclectic.
It tries to speak for an
enlightened traditionalism...

D. BOLINGER,
Aspects of Language.

Presses Universitaires de France

ISBN 2 13 037218 X

Dépôt légal — 1re édition : 1982, avril

108, boulevard Saint-Germain, 75006 Paris

Sommaire

Introduction

Ce livre est né d'une lacune et d'un besoin : il n'existe pas en français d'ouvrage commode où trouver les éléments d'une analyse linguistique cohérente de la poésie. Le champ de la poésie est partagé en deux régions séparées : la versification d'un côté et ce qu'on appelle le style de l'autre. Chacune est du ressort de spécialistes qui, s'ils n'ignorent pas les travaux de leurs collègues, n'éprouvent que rarement le besoin de faire le lien entre les deux disciplines. Aussi existe-t-il en français quelques bons manuels de versification et quelques manuels de stylistique poétique, mais aucun ouvrage qui essaye d'unir les deux, comme il s'en trouve par exemple en anglais [cf. Boulton 1953, Leech 1969]. Nous avons tenté de combler cette absence par une introduction à l'analyse de la poésie, dans laquelle on trouve rassemblé l'essentiel — ce que nous avons cru essentiel — de ce qui concerne les deux domaines de l'analyse poétique qui sont en relation avec la linguistique. Nous reviendrons tout à l'heure sur les liens entre linguistique et analyse de la poésie, mais il nous faut préciser tout de suite que notre perspective est, dans tous les domaines, résolument éclectique, comme l'annonce la formule de D. Bolinger que nous avons placée en exergue. Eclectisme théorique d'un côté, car nous nous refusons à penser que, sur le terrain mouvant des sciences humaines et de la linguistique, il y ait pour l'instant une théorie de la poésie qui nous en fournisse la clef, éclectisme historique de l'autre, en ce qui touche aux relations entre l'ancien et le nouveau, entre la tradition rhétorique et poétique et la linguistique qui se dit et se croit depuis si longtemps moderne. Nous ne croyons pas qu'il existe une opposition de principe entre l'analyse traditionnelle de la poésie — de l'*Art poétique* à l'explication de texte — et les apports d'une linguistique ou d'une poétique nouvelles. Nous vivons sous la menace d'un double terrorisme, terrorisme des partisans d'un Ancien Régime qu'ils figent eux-mêmes à plaisir, terrorisme des fanatiques d'une prétendue Révolution poético-linguistique qui, après les rodomontades annonçant l'imminence d'une éruption, accouchent de souris mort-nées, ensevelies dans un déluge de mots encore en quête d'une parcelle de sens. Nous répondons avec Apollinaire :

> Et sans m'inquiéter aujourd'hui de cette guerre
> Entre nous et pour nous mes amis
> Je juge cette longue querelle de la tradition et de l'invention
> De l'ordre et de l'aventure.
>
> *(La Jolie Rousse.)*

Faut-il définir la poésie ? Entreprise périlleuse, et qui risquerait de nous entraîner bien loin, sans trop savoir où nous aboutirions. Ses définitions sont si nombreuses et si contradictoires, que nous n'essayerons même pas d'en donner quelques échantillons. Par ailleurs, pour peu que la définition soit suffisamment claire, on trouvera toujours quelque chose que de bons esprits appellent poésie et qui ne répond pas à la définition : « Pour toute définition proposée de la littérature, il existe un contre-exemple » [J. Roubaud, Quelques thèses sur la poétique, in *Change*, 6, p. 11]. *A fortiori*, nous ne nous occuperons pas de philosophie de la poésie. Et pourtant nous proposons une hypothèse, un modèle de la poésie, qui nous permettra de préciser les relations entre poésie et linguistique (c'est dire que notre éclectisme ne signifie pas absence de perspectives théoriques...) : *La poésie est l'application d'une organisation métrico-rythmique sur l'organisation linguistique* (cf. chap. I). Cette hypothèse repose sur une intuition simple et banale, qui se trouve au point de départ de nombreuses définitions de la poésie, mais nous voudrions, en la prenant au sérieux et en la développant, en tirer quelques conséquences — qui, elles, ne sont plus aussi banales ou évidentes. Cette hypothèse-définition peut être prise dans un sens génétique : la poésie naît de l'application du rythme sur le langage et, sous cette forme, elle ne semble pas infirmée par ce que l'on sait des formes les plus anciennes de la poésie; le fait massif que constitue l'union constante, jusqu'à une époque relativement récente, de la poésie et de la musique, est un argument supplémentaire en sa faveur. D'un point de vue synchronique ou, si l'on veut, structural, cette hypothèse signifie que la poésie ne se confond pas avec le langage, qu'elle n'est pas coextensive au langage, qu'elle n'est pas non plus un aspect ou une fonction particulière du langage; elle est le langage plus autre chose qui n'est pas spécifiquement linguistique, et qui est le rythme, le rythme que l'on trouve dans le mouvement, la danse ou la musique, et qui, s'appliquant sur le langage, le soumet à une élaboration qui a le statut d'une véritable mutation. La poésie n'*est* pas, elle est le résultat d'une *construction*.

Et cette construction est une construction symbolique. En effet, la langue est un système symbolique, c'est-à-dire un ensemble organisé de symboles; et le rythme est, lui aussi, une organisation symbolique, mais d'un autre type. Précisément parce qu'il est profondément ancré dans la réalité biologique et psychique de l'être humain, le rythme est susceptible de renvoyer à d'autres expériences, spatiales, affectives ou cognitives, et de les symboliser; étant un des modes les plus fondamentaux d'organisation du continuum temporel, il peut servir facilement de modèle pour structurer d'autres domaines continus. Ainsi s'explique que la poésie, système symbolique complexe né de l'application du rythme sur le langage, soit en même temps en deçà et au-delà du langage : par le rythme, la poésie plonge, en deçà du langage, jusqu'aux racines de notre nature physiologique et psychique — il suffit de voir un enfant réciter ou entendre un poème pour s'en rendre compte; en même temps, elle est pleinement langage, mais langage qui a, en se soumettant au rythme, subi une mutation; la poésie s'ouvre enfin, au-delà du langage et comme le langage lui-même, sur tous les contenus culturels qu'elle est capable de manifester.

Une objection revient naturellement à l'esprit : n'y a-t-il pas, dans la poésie moderne par exemple, des textes sans organisation métrico-rythmique autre que linguistique, sans même parler du poème en prose ? C'est tout à fait certain. Mais il faut souligner deux points : en premier lieu, cette poésie se soumet le plus souvent à une organisation métrico-rythmique, celle que signalent les blancs au début et à la fin d'un « vers » (il est clair que l'écriture a eu un effet décisif sur la poésie et l'a soumise à une nouvelle mutation, qui lui a ouvert des possibilités, et en particulier celle de souligner ou de remplacer le rythme temporel par un rythme spatial). En second lieu, toute notre poésie, encore aujourd'hui, n'est concevable et n'a de sens que sur le fond qui constitue, pour le poète comme pour le lecteur, la poésie « traditionnelle »; et nous rencontrons ici une notion qui nous semble fondamentale : la poésie est une institution symbolique qui ne prend sa véritable signification que dans une histoire.

Une dernière conséquence de notre hypothèse : le sens ne nous semble pas une caractéristique pertinente de la poésie. Nous ne voulons pas dire par là que la poésie n'a pas, ne peut pas, ne doit pas avoir de sens, ou que le sens n'a pas d importance en poésie. Nous voulons dire que la poésie peut parler de *tout*, exactement comme le langage et qu'aucune espèce particulière de signification ne lui est réservée, puisque ce qui constitue la poésie, c'est l'application sur le langage d'une structuration rythmique externe. C'est une évolution particulière de l'institution poétique qui, après le temps où la poésie pouvait prendre en charge toute la mémoire d'une culture, sociale ou individuelle — poèmes didactiques, rites, prières ou plaintes —, a tendu à réserver à la poésie un domaine particulier, celui du poétique : nous sommes passés de la poésie au poétique. Cette évolution est capitale, mais il ne faut pas renverser les perspectives en faisant du résultat de cette transformation le terme final dans lequel la poésie se retrouverait dans sa pureté : le poétique n'est pas l'essence, ni le but de la poésie, il n'est qu'une de ses formes. C'est à cause de ces décisions théoriques que nous avons, dans la mesure du possible, limité le sujet de notre étude à la poésie « en vers », c'est-à-dire à toute poésie dans laquelle, ne serait-ce qu'à l'état d'allusion, demeure la trace d'une organisation métrico-rythmique non linguistique.

Notre conception de la poésie s'inscrit ainsi dans le cadre plus vaste d'une sémiologie générale, qu'il n'y a pas lieu de développer ici mais qui fournit les principes de notre analyse [cf. J. Molino, 1975; J.-J. Nattiez, 1975]. Nous nous bornerons à souligner un point qui nous paraît essentiel : tout système symbolique peut être étudié selon trois perspectives distinctes, une perspective poïétique qui envisage la production de l'objet symbolique, une perspective esthésique, qui considère la réception de l'objet, et une perspective neutre, qui ne prend en considération que les propriétés immanentes de cet objet. Notre analyse de la poésie en reste au niveau neutre et se borne à repérer les configurations les plus caractéristiques, configurations rythmiques, phoniques, lexicales, morphologiques ou syntaxiques, sans se préoccuper de savoir comment elles sont produites ou comment elles sont reçues. Or, il n'y a pas de correspondance terme à terme entre les trois dimensions de l'analyse et un objet est objet symbolique précisément en ce que production, réception et constitution interne de l'objet ne coïncident pas; la poésie est expression de son créateur, de son moi — superficiel ou profond —, en même temps que lieu de projection pour son lecteur, qui y trouve en grande partie ce qu'il était déjà disposé à trouver. Une étude complète de la poésie (complète au moins dans son intention) devrait donc se tourner vers l'analyse des stratégies de production — en partie connues par l'histoire littéraire ou les recherches de psychanalyse littéraire — et de réception, si mal connues malheureusement, de sorte qu'on ne sait guère aujourd'hui ce que signifie lire un poème. Tirons seulement la conclusion prudente qu'une analyse linguistique du niveau neutre de la poésie ne saurait en aucun cas épuiser, ni même nous donner quelque chose comme *le* sens d'un poème [cf. J. Molino, 1975, Sur un sonnet de Baudelaire, in *Hommage à Georges Mounin, Cahiers de Linguistique, d'Orientalisme et de Slavistique*].

Comment se présentent alors les relations entre la linguistique et l'analyse de la poésie ? Des proclamations tonitruantes nous ont longtemps annoncé que la linguistique moderne — qui a remplacé Descartes et le cartésianisme chez les Hommes et Femmes savantes d'aujourd'hui — avait ou allait tout changer... Mais qu'a-t-on vu réellement ? Choisissons deux exemples : les tentatives pour constituer une poétique générative n'ont le plus souvent abouti qu'à retraduire dans un vocabulaire qui n'était pas toujours maîtrisé des notions et des démarches bien connues; d'un autre côté, les analyses de Jakobson ou de Ruwet ne font appel qu'aux notions de la linguistique traditionnelle ou structurale la plus élémentaire (parties du discours, catégories grammaticales, schémas morpho-syntaxiques de phrases, etc.). Nous nous autorisons de ces deux constats pour situer notre analyse dans le cadre souple d'une grammaire traditionnelle qui utilise les résultats de la linguistique structurale ou générative chaque fois que ces résultats éclairent l'étude de phénomènes bien définis et relativement indépendants de problèmes liés à l'économie interne d'une théorie linguistique. D'autant plus que l'essentiel est encore de décrire, de rassembler les phénomènes et de classer. Ce qui manque au « poéticien » ou au linguiste, plus qu'une théorie, c'est un herbier, c'est un inventaire des formes sous lesquelles se présente, ici ou là, la poésie. Et c'est pourquoi le trésor de connaissances déposé dans la tradition rhétorique et poétique est d'un inappréciable secours : nées d'un contact étroit avec la pratique poétique, ces connaissances peuvent servir de point de départ solide pour des analyses fécondes. Pour résumer notre perspective, disons que nous tentons de reprendre les notions de la poétique et de la rhétorique traditionnelles en les soumettant à une révision qui leur donne plus de précision, plus de rigueur, un plus grand pouvoir descriptif et — qui sait ? — peut-être quelque jour un plus grand pouvoir d'explication.

Ce que nous voudrions retenir de la linguistique — la linguistique de Bopp ou Rask autant que celle de Saussure, Troubetzkoy, Harris ou Chomsky —, c'est un esprit et une méthode plus que des résultats. Et cela tout simplement aussi parce que la linguistique est bien loin encore d'avoir décrit la langue de tous les jours ; comment pourrait-elle nous donner des recettes toutes faites pour décrire la poésie, qui est langage mais qui est aussi en deçà et au-delà du langage ? Il reste un certain nombre de principes (cf. J.-C. Gardin, 1974) : principe d'explicitation des hypothèses qui permet de séparer des variables, d'isoler des phénomènes et de valider des résultats ; principe de distinction des niveaux — niveau métrico-rythmique, niveau phonique, niveau morpho-syntaxique, niveau sémantique, niveau pragmatique — et d'isolement des phénomènes, même si la poursuite des analyses oblige à remettre en question ces distinctions abstraites (mais la reconstruction du complexe par articulation du simple n'est pas identique à l'explication tautologique par le complexe) ; principe de mise en série, selon lequel un phénomène ne peut être efficacement étudié que s'il est replacé dans une série de phénomènes analogues; principe de classification, qui donne comme première tâche au linguiste de construire des typologies fondées sur des critères explicites. Nous insistons en particulier sur ce dernier principe, si souvent oublié ou ridiculisé par les tenants d'une linguistique magique dans laquelle quelques exemples bricolés et un formalisme qui remplit d'effroi le profane suffisent à construire des « théories » aussi vides qu'inutiles [cf. M. Gross, 1980, The Failure of Generative Grammar, in *Language*]. On comprend alors pourquoi on peut faire rentrer la versification dans le champ d'une linguistique ainsi conçue : non parce que la linguistique aurait un droit spécial à s'en occuper — bien d'autres disciplines en ont autant le droit, psychologie ou musicologie par exemple —, mais parce que l'application des principes d'analyse que nous avons mentionnés apporte ici des résultats féconds.

Quant à affirmer, avec Jakobson, que la linguistique a, par essence, partie liée avec la poésie et la poétique, cela nous semble relever du prophétisme dogmatique qui triomphait au temps des grands manifestes littéraires du début du siècle, lorsque poètes et intellectuels communiaient dans la religion de l'avant-garde littéraire. Ce qui n'enlève rien à l'intérêt des analyses de Jakobson, mais oblige à rester prudent devant des généralisations dont sont surtout friands les amateurs d'une linguistique qu'ils connaissent mal. Il n'y a pas une entité de droit divin qui serait, de toute éternité, la linguistique : la linguistique c'est, aujourd'hui et maintenant, le champ mal délimité que les linguistes d'hier et d'aujourd'hui ont réussi à défricher. Ici les résultats sont assurés, là beaucoup moins... Voilà pourquoi nous avons laissé de côté, dans une grande mesure, les questions de sémantique et de pragmatique; non que ces problèmes ne nous semblent essentiels, mais tout simplement parce que la linguistique ne nous paraît pas fournir pour l'instant d'instruments précis capables d'en rendre compte. L'analyse thématique de la poésie est encore ce qui permet sans doute le mieux — ou le moins mal — d'aborder l'étude de la sémantique poétique, mais elle ne se sert guère de la linguistique et l'on ne voit pas ce que la linguistique pourrait lui apporter, sinon certaines mises en garde. Nous avons, comme tout le monde, entendu parler d'actes de langage, de sémantique structurale, de règles de sélection, de performatifs, de logique modale et de mondes possibles : nous n'avons pas su voir en quoi, sinon sur quelques points très restreints, ces notions souvent peu claires encore pouvaient nous aider à éclairer la poésie.

Un mot à propos de la stylistique. Nous avons, au début, parlé de stylistique, puis de poétique et de rhétorique. La stylistique se présente, dès sa naissance, comme le substitut de la rhétorique et de la poétique : mais au lieu de se tourner vers l'étude des registres et des formes codifiées du langage, elle se fonde sur le double présupposé de la singularité du langage individuel (chacun a son style) et de sa valeur avant tout expressive et affective. Nous ne croyons pas que ces deux postulats soient acceptables : l'expression, individuelle ou collective est, sinon codifiée, du moins régulière et il n'y a aucune raison de privilégier l'exception ou la règle ; et le langage — littéraire, poétique ou quotidien — a valeur cognitive autant qu'affective. C'est pourquoi nous ne croyons pas qu'il existe une stylistique à part de la linguistique, il n'y a qu'une linguistique qui peut s'appliquer à des objets divers : dialectes, langues littéraires ou œuvres de langage. Quant à la poétique, ce mot si galvaudé depuis quelques décennies, avouons que nous ne savons pas ce qu'il signifie en dehors de son sens traditionnel, néo-classique : « *Poétique* : ouvrage élémentaire où l'on trace les règles de la poésie » [Marmontel, 1879, t. III, p. 195]. En jouant sur le mot « règles », que nous prendrons au sens descriptif et non prescriptif, nous dirons que nous n'avons pas cherché un but plus ambitieux que celui-là...

Une autre leçon que l'on peut tirer de la linguistique est l'importance décisive d'une perspective limitée et centrée. Nous ne savons guère en quoi consiste une poétique générale et il nous semble que le meilleur moyen d'y contribuer est de décrire avec précision un système poétique parmi d'autres, comme on se préoccupe d'abord en linguistique de décrire le système phonologique ou syntaxique d'une langue donnée. C'est à l'occasion de ces analyses « emic » que seront, le cas échéant, proposées des hypothèses à valeur universelle. Un des problèmes essentiels des sciences humaines aujourd'hui est bien l'articulation du singulier et de l'universel, des variables et des constantes : seul un va-et-vient d'un pôle à l'autre nous semble capable de faire avancer nos connaissances. Tout en essayant de replacer chaque phénomène dans une perspective générale, nous nous sommes imposé un certain nombre de limites : 1) Il s'agit avant tout de poésie française; 2) Nous choisissons de décrire ce que nous appelons un grand cycle d'évolution poétique. Ce cycle a comme centre la forme d'équilibre que constitue le système poétique classique et néo-classique (XVIIe-XVIIIe siècles) ; nous nous intéresserons à ce qui l'a précédé (système médiéval) en le considérant comme un point de départ et nous envisageons les œuvres des XIXe et XXe siècles comme des transformations du système classique; et cela, non par une conception naïvement finaliste ou rétrospective de la poésie, mais — nous l'avons dit — parce que le modèle classique s'est imposé à la poésie moderne qui n'a de sens que par rapport à lui. Par ailleurs, il existe sans doute quelque chose comme une « vie des formes » (Focillon) et, sans vouloir accorder aucun privilège aux formes d'équilibre par rapport aux processus de construction et de désagrégation, il n'en demeure pas moins que les formes littéraires se développent, cristallisent et se défont comme les formes vivantes ou les formes plastiques, comme les institutions sociales. On pourrait utiliser, si l'on préfère, des métaphores économiques et parler de cycles, de périodes A et B à la Simiand, de crises, etc.; l'essentiel est d'être attentif à ce phénomène massif : la poésie a une histoire et une histoire en grande partie autonome, comme toutes les formes symboliques. C'est donc un grand cycle poétique que nous avons cherché à décrire, dans ses ruptures comme dans ses continuités : les unes et les autres ne se comprennent que prises dans le mouvement de l'ensemble. Mais nous n'avons pas voulu écrire l'histoire de la poésie française, des Grands Rhétoriqueurs aux poèmes de l'année 1980; nous avons seulement voulu souligner la nécessité de rattacher l'étude générale de la langue poétique et de la versification à un système défini, qui est en même temps un système en mouvement.

La plupart des ouvrages qui parlent de poésie choisissent, sans même le dire, une perspective prescriptive et se fondent sur un partage, variable mais fondamental, entre la bonne et la mauvaise poésie; beaucoup de critiques ou de poètes poursuivent un but sans doute illusoire, le but de rendre compte par leurs analyses de ce qui distingue les deux espèces de poésie. De toute façon, et quelle que soit la possibilité d'arriver à cette explication ultime, il nous semble préférable d'adopter une perspective purement descriptive, car la poétique prescriptive en est encore à l'étape que Saussure évoquait ainsi en parlant de la linguistique : « Cette étude, inaugurée par les Grecs, continuée principalement par les Français, est fondée sur la logique et dépourvue de toute vue scientifique et désintéressée sur la langue elle-même; elle vise uniquement à donner des règles pour distinguer les formes correctes des formes incorrectes; c'est une discipline normative, fort éloignée de la pure observation et dont le point de vue est forcément étroit » [Saussure, *Cours de linguistique générale*, 1966, p. 13]. Non que nous méconnaissions l'importance, décisive, du jugement de goût et du plaisir poétique, mais parce que nous trouvons dangereux et inefficace le mélange de la description et du jugement esthétique. La poésie n'est pas un mystère, ni un sacerdoce, ni une réalité tabou : c'est, nous l'avons dit, une production humaine fort répandue et qui mérite d'être étudiée d'une manière aussi neutre et aussi objective que le langage.

Aussi n'avons-nous opéré aucun choix esthétique dans le corpus que nous avons rassemblé : le meilleur — à notre goût — y voisine avec le pire et l'expérience nous prouve que nos instruments d'analyse et les résultats qu'ils permettent d'obtenir ne suffisent pas pour séparer le bon grain de l'ivraie; pour tout trait, pour tout caractère du langage poétique, il serait possible de tenir une comptabilité en partie double, en mettant d'un côté — « au bien » (Eluard) — une utilisation (qui nous semble) heureuse et réussie et de l'autre — « au mal » — un produit selon l'occasion ridicule ou déplaisant. L'analyse linguistique de la poésie ne nous donne — dans le meilleur des cas — que des résultats neutres, que l'on peut, que l'on doit utiliser en les mettant au service d'une analyse esthétique, mais ce n'est plus de la linguistique et c'est une autre histoire...

Pour les mêmes raisons, nous n'avons pas imposé à notre corpus une hiérarchie qui correspondrait à nos goûts d'aujourd'hui : pour nous, depuis deux siècles, la poésie est lyrique. Sans nous prononcer, nous préférons respecter les autres hiérarchies, et en particulier la hiérarchie classique et néo-classique, selon laquelle il y a de grands genres poétiques — l'épopée, la tragédie — et des genres plus humbles — élégie, sonnet, rondeau ou virelai. C'est dire que pour nous la tragédie de Racine ou la comédie de Molière sont autant du domaine de la poésie que les *Amours* de Ronsard ou les *Sonnets* de Nerval, la poésie didactique de Du Bartas et de Delille autant que *Charmes* de Valéry... Nous avons besoin d'opérer en poésie le même changement de point de vue qu'il faut réaliser pour prendre goût à la grande peinture de mythologie, de batailles et d'édification des XVIe et XVIIe siècles. La restriction du champ de la poésie est une réalité dont il faut tenir compte, mais qu'il ne faut pas projeter sur toute son histoire.

Cette *Introduction* n'a de prétention ni à l'encyclopédisme ni à l'exhaustivité. Les contraintes imposées par le nombre de pages l'interdisaient, mais aussi le point de vue choisi. C'est pourquoi le lecteur y constatera de nombreuses lacunes et regrettera la rapidité avec laquelle certains problèmes sont présentés. La poésie étant en même temps en deçà et au-delà du langage, nous n'avons guère abordé les problèmes posés par ce double ancrage : d'un côté, rapports entre la musique et la poésie, de l'autre approfondissement de la sémantique et de la pragmatique de la poésie. Sur certains points, c'est le temps qui nous a manqué pour y voir plus clair dans des domaines passionnants, mais que nous maîtrisions mal. Nous n'en donnerons qu'un exemple. Nous aurions aimé étudier les problèmes de l'ambiguïté, non pas tellement au sens de la linguistique générative qu'au sens classique du terme : depuis les oracles à double sens jusqu'aux poésies à plusieurs niveaux de signification (Dante ou peut-être Villon) et aux techniques de l'ambiguïté telles que les a présentées W. Empson [1931 : *Seven Types of Ambiguity*, London, Chatto and Windus. Cf. plus récemment Scheffer I., 1979, *Beyond the letter*, London, Routledge and Kegan Paul]. Mais il nous a semblé que les aperçus ouverts par Empson méritaient une longue analyse, car les notions qu'il utilise sont souples et riches, mais trop floues pour être telles quelles soumises à une utilisation linguistique. Nous comptons revenir sur ces problèmes dans un autre travail, complémentaire de celui-ci, qui aura pour objet l'étude de la sémantique et de la pragmatique de la poésie, ainsi que de la structure d'ensemble des poèmes — la construction du poème —, par opposition aux structures locales que nous avons envisagées jusqu'ici.

Il est juste de souligner ici nos dettes intellectuelles. Nous nous sommes, bien sûr, appuyés sur tous les travaux — que nous connaissions — qui nous ont semblé apporter quelque élément positif dans l'étude de la versification et de la langue poétique et nous avons, aussi souvent que possible, mentionné nos sources, ouvrages de référence ou monographies sans lesquels notre *Introduction* n'existerait pas. En dehors de ces dettes précises, nous voudrions mentionner quelques livres qui — après bien sûr la lecture des poètes ! — nous ont donné l'envie de réfléchir sur la poésie et nous ont particulièrement aidés. Ce sont le livre de Lausberg, *Handbuch der literarischen Rhetorik* (1960), *Les constantes du poème* (1977) et *Rhétorique et Littérature* (1970) de A. Kibedi Varga, les ouvrages de D. Alonso parmi lesquels *Poesia española* (1952) et *Seis calas en la expresión literaria española* [Alonso et Bousoño, 1970], les travaux de Halliday et en particulier *Cohesion in English* [Halliday, Hasan, 1976], *Avez-vous lu Char ?* de G. Mounin et *La vieillesse d'Alexandre* de J. Roubaud (1978). Loin de toute référence aux linguistes, mentionnons enfin *Les sentiers et les routes de la poésie* d'Eluard (1954) et la *Poésie pour tous* de C. D. Lewis (1953). Nous espérons ne les avoir ni mal interprétés, ni trahis.

Signalons pour finir que nous avons indiqué à la fin de chaque chapitre les ouvrages de base qui le prolongent. Leur référence complète est donnée dans la bibliographie qui figure à la fin du livre, et regroupe tous les ouvrages d'intérêt général. Nous avons indiqué dans le corps du livre les références détaillées des livres ou articles très spécialisés qui ne nous ont été utiles que sur des points particuliers. Les exemples proposés sont soit extraits d'ouvrages critiques ou d'anthologies dont la liste figure dans la bibliographie, soit tirés de nos lectures. Dans le premier cas, ils sont parfois seulement accompagnés du nom du poète, lorsqu'une référence plus précise faisait défaut. Dans le second cas, après le nom de l'auteur nous nous sommes bornés à indiquer le titre ou le premier vers du poème dont ils étaient extraits.

Ouvrages de base : Boulton (N.), 1953; Eluard (P.), 1954; Guiraud (P.), 1953; Kibedi Varga (A.), 1977; *Langue française,* février 1981; Lausberg (H.), 1960; Leech (G.), 1969; Lewis (C. D.), 1953; Marmontel, 1879; Morier (H.), 1975; Mounin (G.), 1969.

Chapitre premier

LE MÈTRE ET LE RYTHME

> Vers filés à la main et d'un pied uniforme
> Emboîtant bien le pas, par quatre en peloton;
> Qu'en marquant la césure, un des quatre s'endorme...
> Ça peut dormir debout comme soldats de plomb.
>
> Tristan CORBIÈRE.

1.0. Considérons cet extrait des derniers vers de Chénier, ses *Iambes* :

1 Avant que de ses deux moitiés
2 Ce vers que je commence ait atteint la dernière,
3 Peut-être en ces murs effrayés
4 Le messager de mort, noir recruteur des ombres,
5 Escorté d'infâmes soldats,
6 Ebranlant de mon nom ces longs corridors sombres,
7 Où seul dans la foule à grands pas
8 J'erre, aiguisant ces dards persécuteurs du crime,
9 Du juste trop faibles soutiens,
10 Sur mes lèvres soudain va suspendre la rime;
11 Et chargeant mes bras de liens,
12 Me traîner, amassant en foule à mon passage
13 Mes tristes compagnons reclus,
14 Qui me connaissaient tous avant l'affreux message,
15 Mais qui ne me connaissent plus.

On voit que ces vers se distinguent de la prose en ce qu'ils respectent un certain nombre de contraintes qui constituent les règles de la versification classique et néo-classique. Nous rappellerons d'abord les principales (cf. pour plus de détails Quicherat 1866, Elwert 1965) :

1. NÉCESSITÉ DES RIMES (cf. le chapitre II) : *moitiés/effrayés*. L'alternance de rimes féminines terminées par un ə muet, éventuellement suivi de consonne (*s* de pluriel, *ombres/sombres*, *nt* des

terminaisons verbales) et de rimes masculines terminées par une consonne non précédée de ə, même si elle n'est pas prononcée *(reclus/plus)* est exigée. Elle sera remplacée progressivement à partir du XIXe siècle par l'alternance des rimes vocaliques et consonantiques, fondée sur la prononciation et non plus sur la graphie (cf. *s'énamourèrent*, *venues*, *paupières*, *suspendus*, Apollinaire, *Les Fiançailles*).

2. INTERDICTION DE L'HIATUS : si les rencontres de voyelles sont possibles à l'intérieur d'un mot, elles sont proscrites entre deux mots; la présence d'une consonne muette suffit à tourner l'interdiction : *me traîner*, *amassant* (v. 12).

3. COMPTE STRICT DE SYLLABES : dans le passage cité, les vers ont exactement 8 ou 12 syllabes : aucune entorse n'est permise à cette régularité. Ceci soulève deux difficultés :

a / Diérèse et synérèse : lorsqu'une syllabe comporte une semi-consonne, celle-ci peut être considérée comme une consonne qui ne fait pas syllabe. On parle alors de synérèse : ainsi au v. 9 *soutiens* n'a-t-il que 2 syllabes, -tiens n'en constituant qu'une [sutjɛ̃]. Au contraire, dans le mot *liens* (v. 11) qui lui fait écho à la rime, il faut compter [lijɛ̃], 2 syllabes : la semi-consonne est donc considérée comme une voyelle et il s'agit d'une diérèse [cf. pour plus de détail Mazaleyrat 1974 et Deloffre 1973].

b / Compte du ə, e muet, instable ou caduc comme on voudra bien l'appeler. Ainsi, il n'est pas compté dans *commence*, ou *dernière* (v. 2), mais fait syllabe dans *lèvres* (v. 10) ou *connaissent* (v. 15). Rappelons quelques-unes des règles, tout approximatives, de sa prononciation en français standard : il n'est pas prononcé à la finale absolue :

le ciel est sombr(e),

ni dans un groupe devant voyelle :

la terr(e) et l'eau.

Dans un groupe (ou dans un mot) entre consonnes, il n'est jamais prononcé s'il n'est précédé que d'une consonne orale :

sûr(e)ment un(e) sûreté

et toujours s'il est précédé de deux :

lestement

[Léon P., 1966, *La prononciation du français standard*, Paris, Didier.]

La poésie se caractérise pour le compte du ə (indépendamment de toute prononciation) par des règles spécifiques :

a / Un ə en fin de vers, suivi ou non de consonnes, ne compte jamais : cf. *dernièr(e)* au v. 2, *ombres* au v. 4, etc.

b / ə devant voyelle n'est jamais compté, cf. *peut-êtr(e) en* au v. 3, même si les deux mots en contact sont séparés par une ponctuation (*j'erre, aiguisant* au v. 8).

c / ə devant consonne est toujours compté, *de mon nom* (v. 6), *me traîner* (v. 12), *mes tristes compagnons* (v. 13).

d / ə après voyelle et devant consonne (prononcée ou non) est interdit dans le vers. Une séquence comme :

Vous êtes si jolies mais la barque s'éloigne

(Apollinaire, *Mai*)

est bannie de la poésie classique qui ne les tolère que dans les terminaisons verbales *qui me connaissaient* (v. 14) difficiles à exclure du vers. Selon la règle *c*, en effet, ə devrait être compté, mais il n'est ordinairement pas prononcé après voyelle : le conflit entre la règle métrique et la prononciation aboutit ainsi à l'interdiction de la suite vəc.

4. Nécessité d'une césure, *i.e.* d'une coupe fixe et obligatoire dans les vers de plus de 8 syllabes, sur le modèle 6 s + 6 s dans l'alexandrin, 4 s + 6 s ou 6 s + 4 s dans le décasyllabe. Césure et fin de vers doivent coïncider avec des articulations syntaxiques et sémantiques (cf. v. 2, 4, 6, 14). Les exemples de non-convergence sont stylistiquement marqués et constituent selon les cas :

a / Un *enjambement*, *i.e.* la poursuite sur toute une unité métrique, vers ou partie de vers, selon qu'il est externe (v. 1 et 2) ou interne (v. 2), de l'unité précédente.

b / Un *rejet*, *i.e.* le report sur une unité métrique d'un élément bref, syntaxiquement lié à la mesure précédente et suivi d'une coupe. Il peut également jouer à l'intérieur d'un vers ou entre vers (v. 7 et 8).

c / Un *contre-rejet*, *i.e.* à l'inverse l'annonce dans une unité métrique par un élément bref, précédé d'une coupe, de la mesure suivante, hémistiche (v. 12) ou vers.

Il peut y avoir rejet, ou contre-rejet, à l'intérieur d'un enjambement, dans le cas d'une hiérarchie des groupes syntaxiques.

Ce bref rappel donné, nous voudrions maintenant nous interroger beaucoup plus longuement sur la nature de ces règles, sur les différents principes sur lesquels elles reposent afin de dégager ce qui constitue vraiment l'essence du vers français. Aussi bien notre but est-il de décrire, et non de prescrire.

1. LE VERS ET LES CARACTÉRISTIQUES LINGUISTIQUES ET PHONÉTIQUES DE LA LANGUE QU'IL UTILISE

1.0. Nous voudrions au préalable donner une définition rapide des concepts qui sont généralement utilisés dans ce domaine.

Le terme de versification est pour nous un terme générique. La versification est l'étude de tous les types de structuration du vers, qu'il s'agisse de la structure interne ou de l'arrangement des vers entre eux, qu'il s'agisse des mesures fixes et conventionnelles qui définissent chaque type de vers, comme les deux hémistiches de l'alexandrin, ou des groupements syntaxiques et rythmiques isolés par des coupes. La versification comprend donc la prosodie (étude des caractéristiques phoniques des unités métriques, durée, accent, ton...), la métrique (système de mesures fixes qui définissent l'organisation interne du vers), le rythme (toute configuration libre et répétitive) et l'étude de la combinaison des vers en strophes et en formes fixes. Ce chapitre n'abordera que les trois premiers points, et essentiellement les rapports entre le mètre et le rythme.

1.1. *Typologie des mètres*

1.1.1. Les différentes métriques existantes utilisent, dans leur immense majorité, la syllabe. Cependant, le rôle qu'elle y joue est très variable puisque, dans certains cas, elle suffit à définir le mètre, tandis que d'autres langues ne l'utilisent que comme support d'un trait prosodique (accent, quantité, etc.), qui, lui, fonde l'organisation du vers. Cette réserve faite (on se souviendra que tous les vers sont syllabiques), on classe généralement les mètres selon plusieurs types (Žirmunskij, 1966; Fussell, 1967; Lotz, 1972) définis indépendamment des facteurs rythmiques dont on verra par ailleurs le rôle.

Ces types sont les suivants :

a / *Les systèmes purs*, où un seul facteur définit le mètre :

• Syllabique : le vers ne repose que sur un nombre déterminé de syllabes, comme l'haiku japonais constitué obligatoirement de deux vers de 5 syllabes encadrant un vers de 7 syllabes :

> Tsurigane ni
> tomarite hikaru
> potara ka na.

Les autres systèmes « purs » reposent sur un nombre fixe non plus de syllabes mais de groupement de syllabes qu'opposent longueur, accent ou ton et qu'on appelle traditionnellement pieds. On distingue les types :

• Quantitatif, où s'opposent longues ¯ et brèves ˘, comme dans l'hexamètre dactyle grec ou latin fait de 6 pieds sur le schéma :

> — ‿‿ / — ‿‿ / — ‿‿ / — ‿‿ / — ˘˘ / — ˘
> Prāefŏdĭ / ūnt ălĭ / ī pōr / tās aūt / sāxă sŭ / dēsquĕ
> (Virgile.)

• Accentuel (tonique) : le mètre est défini par un nombre déterminé d'accents, le nombre de syllabes entre chaque accent pouvant varier. C'est le vers des ballades germaniques, du pentamètre iambique anglais ou de la poésie russe populaire.

• Tonal : ainsi, dans la poésie yoruba (il s'agit d'une langue d'Afrique occidentale), il semble que le vers soit défini par un système organisé de correspondances tonales (Finnegan, 1977).

b / Les systèmes mixtes : ce sont les plus fréquents. Ils utilisent la syllabe et un élément de définition supplémentaire. Tels sont, en particulier :

• Le syllabo-tonique, comme dans le tétramètre iambique russe, dont le schéma est le suivant (4 pieds où s'opposent syllabes accentuées et atones)

ab́ / ab́ / ab́ / ab́

(Žirmunskij.)

• Le syllabo-tonal, comme dans la poésie classique chinoise de la dynastie T'ang (Lotz)

.X.O.
.O.X.
.O.X.
.X.O.

(. note les syllabes indifférentes, X et O les deux tons distinctifs dans cette métrique).

comprenant quatre groupes de pentasyllabes où une syllabe sur deux présente un ton distinctif et contrasté.

• Le syllabo-quantitatif représenté par exemple par la strophe saphique d'Horace (trois vers de 11 syllabes, un vers de 5 avec alternance codée de longues et de brèves).

1.2. *Influence des caractères phonétiques d'une langue sur les mètres*

Ces différents types de vers ne sont pas prévisibles : le russe et le hongrois, par exemple, la poésie française du XVIe siècle utilisent plusieurs systèmes concurrents. Néanmoins, on y retrouve toujours certains des caractères phonétiques de la langue qu'ils utilisent. Par exemple, les métriques grecque et latine utilisent un fait prosodique, l'opposition de longueur, qui joue dans les deux langues un rôle distinctif important. Ce sont les langues qui se caractérisent, comme l'anglais, par un accent lexical qui présentent une métrique accentuelle ou syllabo-tonique. A l'inverse, une langue comme le japonais dont les traits prosodiques n'ont guère d'utilisation linguistique, en est réduite au syllabisme pur. Lorsque plusieurs facteurs sont susceptibles d'être utilisés (par exemple en latin ou en grec où l'accent était disponible au même titre que les oppositions de longueur), le choix de l'un plutôt que l'autre est imprévisible, mais les possibilités de choix semblent, elles, déterminées.

Si l'on envisage maintenant le cas du français, quelles sont donc ses habitudes phonétiques, articulatoires et accentuelles ?

Les faits les plus frappants dans nos habitudes articulatoires sont une forte tension musculaire qui assure netteté et précision aux consonnes et aux voyelles (il n'existe pas en français moderne de diphtongue, *i.e.* de voyelle qui change de timbre au cours de son émission, comme en anglais et en ancien français), et une syllabation ouverte qui fait, selon Léon (1966) que 80 % des syllabes obéissent au schéma CV. Il est vrai que bon nombre de mots se terminent par une consonne prononcée, comme *mer*, *sec*, qui, obéissant au schéma CVC, présentent une syllabe fermée. Mais les règles de segmentation en syllabes dans l'enchaînement de la phrase tendent à faire prédominer la syllabation ouverte CV. En effet, lorsqu'une consonne sépare deux voyelles VCV, elle forme syllabe avec la voyelle qui la suit :

la mer immense
la / mɛ / ri / mɑ̃s

et ce n'est que dans le cas où deux consonnes séparent les voyelles VCCV que la première voyelle sera en syllabe fermée VC/CV :

la peste épouvantable
la / pɛs / te / pu / vɑ̃ / tabl /

à moins que la 2e de ces consonnes ne soit une liquide (r ou l), auquel cas les deux consonnes appartiennent à la deuxième syllabe :

un patricide
œ̃ / pa / tri / sid.

Sauf à la fin de groupes donc, c'est la syllabation ouverte qui l'emporte.

Ces deux facteurs, netteté articulatoire et syllabation ouverte, concourent à la pureté des voyelles et à la stabilité de la syllabe. Celle-ci, qui n'est dans la plupart des langues qu'une unité émique, intuitive (cf. Pulgram, 1970, *Syllabe, word, nexus, cursus*, Mouton, La Hague), si difficile à délimiter au plan phonétique est ainsi en français (comme en japonais, caractérisé lui aussi par une syllabation ouverte) particulièrement aisée à appréhender.

Ces caractéristiques sont d'autant plus frappantes qu'il n'existe en français d'opposition ni de ton, ni de longueur. Sans doute les voyelles accentuées sont allongées devant certaines consonnes, comme [r] (douleūr), [z] (doūze), [ʒ] (il neīge), [v] (faūve), ou [vr] (chēvre) et certaines mêmes ([a], [o] par exemple) devant n'importe quelle consonne. Néanmoins, ces allongements sont purement phonétiques, puisque conditionnés par les voyelles et les consonnes en cause, et n'ont pas de valeur distinctive et fonctionnelle, sauf dans le cas du [ɛ] et pour un nombre restreint de mots (mɛːtr vs mɛtr). Ils restent donc marginaux, instables et mal perçus.

Le français ne se caractérise pas davantage par la stabilité de ses accents, puisque l'accent n'y est pas lexical, et vient frapper la dernière syllabe d'un groupe syntaxique :

> le petit enfa̍nt jouait au ballo̍n

l'avant-dernière, dans le cas où la dernière comprend un ə caduc :

> le petit enfa̍nt joue à la ba̍lle.

L'accent n'est donc ni prévisible, ni stable, puisqu'il dépend de l'organisation de l'énoncé. C'est une unité rythmique et syntaxique (Léon P. et M., 1966, p. 65). On constate pourtant, selon Léon, certaines régularités dans la place des accents qui organisent les groupes : « Les groupes rythmiques français ne sont jamais très longs (en général de 3 à 7 syllabes) » (Léon, p. 65) avec une plus grande fréquence des groupes de trois ou quatre syllabes, candidats tout trouvés à une mesure métrique.

Des habitudes phonétiques du français on retiendra donc la netteté de la syllabe et l'accent de groupe, propres à fonder une métrique purement syllabique ou syllabo-tonique. A ce stade, nous ne nous prononcerons pas.

S'il y a affinité des langues pour une métrique reliée à leurs caractéristiques phonétiques, ce lien est-il vraiment contraignant ? L'existence de tentatives pour fonder la métrique sur des unités non phonétiques amène en effet à se poser la question. Ainsi les recherches de l'Oulipo visent à proposer des règles entièrement arbitraires de combinatoires d'unités que rien ne justifie, comme la lettre. C'est à un tel principe qu'obéit le début de ce texte de Cummings :

la
le
af
fa
ll

construit sur les combinaisons des quatre lettres du mot *leaf.*

Dans la pratique, cette liberté est fortement restreinte par les habitudes du groupe linguistique. Les tentatives de D. Roche, G. Pérec ou Cummings rencontrent généralement l'incompréhension du public, de même que tout essai d'implanter, sans l'adapter, dans une langue aux caractères phonétiques différents, la métrique d'une autre. Il suffit de songer aux efforts de certains poètes du XVIe siècle comme Ronsard ou Baïf pour introduire en français le système quantitatif du grec et du latin. Ces vers de Baïf analysés par Deloffre (1973, pp. 105-106) en sont un exemple :

Cĕ pĕtīt Dieū / cŏlĕr(e) ārchēr / lĕgĕr ōiseāū
Ă lă pārfīn / nĕ mĕ lērrā / quĕ lĕ tōmbeāu.

Pour des raisons déjà évoquées, l'opposition des quantités vocaliques est peu et irrégulièrement perçue en français, d'autant moins perceptible ici qu'elle ne se fonde pas sur le système phonétique du français, mais sur les règles métriques du latin et du grec (vaut longue toute voyelle longue ou toute voyelle brève placée devant deux consonnes, comme dans pĕtī*t D*ieu). Par ailleurs, les pieds présentent des isosyllabismes, qui sont, eux, perceptibles, si bien qu'en définitive, ces vers sont compris, non comme quantitatifs, mais comme syllabiques. L'abbé d'Olivet notait déjà que ce type de « versification » était difficile en français « car, quoique notre langue nous fournisse des longues et des brèves, ce n'est pas avec le pouvoir de les placer à notre gré... Parmi plus de mille vers mesurés, que j'ai eu la curiosité de lire, je n'en ai pas trouvé un seul de bon, ni même de supportable » (1717, p. 360). Comme par ailleurs ces « pieds » mesurés présentent des proportions de nombre de syllabes qui sont, elles, immédiatement perceptibles, les vers quantitatifs sont rarement perçus comme tels en français et se laissent ramener au type syllabique.

Les habitudes phonétiques s'imposent ainsi aux unités métriques, mais les unités linguistiques ne sont pas reproduites passivement : elles ne constituent qu'une base pour l'élaboration du mètre.

2. MÈTRE ET RYTHME

2.1. *Définitions et problèmes*

Nous voyons dans le mètre l'organisation interne du *vers* consistant dans une relation entre des mesures

- Soit identiques, comme les deux hémistiches de l'alexandrin 6 + 6 s :

> Le seul bruit de mon nom / renverse les murailles,
> Défait les escadrons / et gagne les batailles
>
> (Corneille, *L'Illusion comique.*)

- Soit *strictement équivalentes* dans le code métrique utilisé, par exemple le dactyle – ◡ ◡ ou le spondée – – dans l'hexamètre dactylique, sauf au 6e, et surtout au 5e pied, dit pied pur où apparaît obligatoirement un dactyle.
- Soit dans une *proportion* récurrente, comme les deux parties du décasyllabe 4 s + 6 s :

> J'admire tout, / et de rien ne me chaut,
> Je me délace, / et puis je me relie.
>
> (Ronsard, « J'espère et crains... »)

Ces mesures peuvent, comme dans le cas de l'hexamètre, se confondre avec l'unité métrique de base, ici le pied, ou en être un groupement, comme pour les hémistiches.

Le mètre est une organisation rigide : identités, équivalences, proportions sont codées, en nombre limité et le poète n'a pas le loisir de les modifier : un spondée ne peut apparaître au pied pur de l'hexamètre dactylique, pas plus que le décasyllabe ne peut normalement être scindé en 3 s + 7 s.

Nous appellerons rythme toute configuration qui se répète

dans le temps d'éléments différemment marqués, comme les temps forts et les temps faibles de la danse (toute valse est faite de la succession de trois temps, un fort et un faible), temps longs et temps courts du hō hisse qui scande un effort, etc. Comme le mètre, le rythme suppose une structure répétitive, et la proximité dans le temps de ces structures proportionnelles. On ne parlera de rythme spatial que métaphoriquement. Un même motif, répété à l'ouverture et à la fin d'un poème, d'un morceau de musique ne constituent pas un rythme étant trop éloignés l'un de l'autre. Nous récusons donc les analyses trop larges, comme celles de Kibedi Varga (1977) qui appelle rythme tout ensemble de « phénomènes de rappel brisés et libérés » (p. 15), phoniques, syntaxiques, lexicaux ou sémantiques. Le rythme est distinct de l'écho et, à la différence du mètre, il est nécessairement fondé sur des éléments contrastés.

On parlera de rythmes biologiques (cf. Fraisse, 1956, 1974), l'accent étant mis en pareil cas sur la périodicité des phénomènes, du rythme des activités humaines (danse, musique, travail, etc.). Le contraste des éléments repose le plus souvent sur deux facteurs, la durée (on opposera unités longues et brèves) ou l'accent (unités fortes et faibles), les deux étant d'ailleurs liés, puisque l'accent, comme on l'a signalé pour les voyelles françaises, est facteur d'allongement. Ainsi définit-on le rythme en musique comme l'accent et le groupement : « Rhythm may be defined as the way in which one or more unaccented beats are grouped in relation to an accented one » (M. Beardsley, 1972, p. 239). Il est clair dans ce cas que les groupements rythmiques se distinguent de la mesure, comme cela apparaît dans cet exemple de Beardsley (p. 240) :

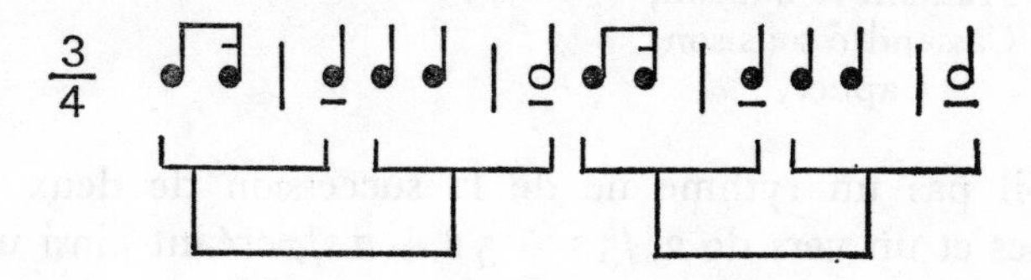

Le rythme n'est pas codé, comme l'est la mesure $\left(\frac{3}{4}\right)$. Par conséquent, alors que la mesure est unique, plusieurs rythmes peuvent coïncider, les cellules rythmiques de base pouvant se regrouper. Les rythmes peuvent être appréhendés à différents niveaux comme cela apparaît dans les analyses du rythme abstrait de J. Roubaud et Lusson (1974-1978-1980). Pour ces théoriciens, « la théorie du rythme abstrait (TRA) est la théorie de la combinatoire séquentielle hiérarchisée d'événements discrets considérés sous le seul aspect du même et du différent » (Roubaud, 1978, pp. 69-70). Ainsi peuvent-ils voir à l'œuvre dans un poème toutes sortes de rythmes, tels que :

— la coïncidence de certains traits distinctifs...
— les allitérations, assonances, rimes intérieures,
— les parallélismes syntactiques,
— les intrications syntactico-sémantiques,
— les effets rhétoriques,
— les récurrences graphiques.

(Roubaud-Lusson, 1974, pp. 50-51.)

En particulier le mètre n'est pas indépendant du rythme. De fait, lorsque par exemple on utilise des éléments contrastés, ainsi dans la métrique syllabo-tonique :

Twènty / bòokes / clàd in / blàck or / rèed

(Chaucer.)

ne faut-il pas voir dans les unités métriques des cellules rythmiques ? Et si nous considérons un poème comme *Colombine* de Verlaine :

Léandre le sot,
Pierrot qui d'un saut
De puce
Franchit le buisson,
Cassandre sous son
Capuce,

n'y a-t-il pas un rythme né de la succession de deux vers de 5 syllabes et un vers de 2, /5 s + 5 s + 2 s/, créant ainsi un motif récurrent d'éléments de durées contrastées ?

Cette question des relations entre rythme et mètre est rendue plus complexe encore du fait de l'existence d'un rythme particulier, le rythme linguistique.

2.2. *Le rythme linguistique*

Le rythme linguistique est en français défini par l'accent : on se souvient que Léon définit l'accent français comme un accent de groupe syntaxique et rythmique. Ces groupes sont, en prose comme en vers, organisés selon « deux unités de rythme fondamentales : les syllabes toniques de groupe, qui servent de repère, et les syllabes atones qui mesurent leur espacement » (Mazaleyrat, 1974, p. 12). La cellule rythmique consiste alors dans le contraste entre syllabes accentuées et atones, comme dans cette phrase de Châteaubriand :

> Tout aurait été silence et repos, sans la chute de quelques feuilles, le passage d'un vent subit, le gémissement de la hulotte.

Ce rythme n'est que l'un parmi d'autres et l'on pourrait scinder les groupes en sous-groupes :

> Tout aurait été silence et repos, sans la chute de quelques feuilles, le passage d'un vent subit, le gémissement de la hulotte.

Le principe de la proportion entre les unités de rythme est, selon les théoriciens, temporel, ou purement numérique. Grammont (1937 et 1965), Carton (1974) représentent un exemple de la première analyse : « Soit ce vers d'Eluard : « Les champs sont labourés, les usines rayonnent. » Les tracés oscillographiques que nous avons faits de ces vers montrent que les diseurs tendent à allonger davantage le groupe dissyllabique *les champs* que le groupe de quatre syllabes *sont labourés*. Certains, bien que prévenus, ont mis — exactement — un nombre égal de centisecondes pour ces deux groupes. Les groupes n'ont pas tous le même nombre de syllabes, mais, par suite d'une autorégulation préconsciente de la durée, le bon lecteur *tend* à donner à toutes les mesures rythmiques une durée sensiblement égale » (Carton, p. 126). La seconde est représentée par Mazaleyrat : « Le sentiment du rythme dans une phrase française est donc fondé sur la perception d'*une série de rapports entre les nombres syllabiques de groupes délimités par leurs accents* » (Mazaleyrat, 1974, p. 14). Dans la phrase de Chateaubriand, cette proportion repose sur l'équivalence approximative des groupes de 10, 8 ou 9 syllabes (selon la façon dont on compte le e muet) dans la première analyse, 3, 4 ou 5 dans la seconde.

Dans tous les cas, ce rythme linguistique, s'il est une notion intuitivement claire, est extrêmement fuyant à l'analyse. C'est que le matériau linguistique offre seulement des potentialités de rythme, dont l'actualisation dépend d'une réalisation individuelle. Dans l'analyse de Grammont, c'est la diction qui crée le rythme : il ne s'impose que dans la lecture du « bon lecteur ». Or la diction suppose un découpage antérieur du texte, qui est malheureusement loin de s'appuyer sur des critères objectifs. Cette deuxième difficulté apparaît également à travers les analyses de J. Mazaleyrat. L'accent qui délimite les groupes rythmiques est en effet défini « selon les unités de syntaxe et de sens » (p. 12). Sa délimitation dépend donc de l'interprétation du texte. Soit l'exemple suivant :

1. Quel est / ce goût d'airelle / / sur ma lè / vre d'étranger / / /
qui m'est / chose nouvelle / / et m'est / chose étrangère ?

(Saint-John Perse.)

Il est clair que la hiérarchisation des groupes accentuels que notent les barres simples, doubles ou triples, obéit à des considérations d'ordre très différent : nombre (on cherche à repérer des mesures isosyllabiques), sens et syntaxe (le découpage s'inspire de l'analyse logique et des constituants immédiats) qui fondent ainsi une segmentation intuitive et non reproductible.

On comprend alors l'importance psychologique de ce rythme linguistique, imposé par les unités sémantiques auxquelles s'attache en priorité l'attention. Qui ne serait tenté de proposer pour ces deux vers de Hugo :

Le charnier, le gibet, le ruisseau, le lavoir

(L'égout de Rome.)

Deux ennemis ! le czar, le Nord. Le Nord est pire

(L'Expiation.)

le découpage qu'impose la construction, et la ponctuation, et de faire du premier un tétramètre, du second un trimètre ? Comment soupçonner derrière cette organisation linguistique prégnante une organisation métrique autonome ? Ainsi s'explique qu'un grand nombre d'analyses du mètre ne le distinguent pas du rythme linguistique.

Deux difficultés distinctes obscurcissent donc les relations du mètre et du rythme. La première tient à leur définition générale puisque tous deux imposent répétition et proportion, la seconde à l'importance psychologique du rythme linguistique naturel face à l'organisation artificielle que représente le mètre.

2.3. *Le mètre et le rythme linguistique*

2.3.1. Jusqu'au XIXe siècle, sous l'influence des métriques latine et grecque, les seuls débats sur la nature du mètre portent sur le fait de savoir s'il est syllabique ou quantitatif : on trouve un écho de ces querelles chez l'abbé d'Olivet dont l'argumentation consiste à prouver que l'organisation de notre langue nous empêche de faire des vers « mesurés », i.e. consistant dans des groupements de longues et de brèves, et que si un heureux arrangement de quantités apparaît parfois dans les vers, il ne peut qu'être fortuit, et s'ajouter, entraînant un effet musical certain, à l'organisation syllabique. A la fin du XVIIIe siècle, la cause est déjà entendue : Wailly, par exemple, dans ses *Principes généraux et particuliers de la langue française* (1786, Barbou, Paris), consacre bien un chapitre aux syllabes longues, brèves et douteuses, mais dans l'« Abrégé de versification » qui clôt son ouvrage, il définit les vers en ces termes : « Les vers sont des paroles analysées selon certaines règles fixes et déterminées.

« Ces règles regardent surtout le nombre des syllabes, la césure, la rime, les mots que le vers exclut, les licences qu'il permet, et enfin les différentes manières dont il doit être arrangé dans chaque sorte de Poème » (p. 518). Telle est la doctrine traditionnelle : c'est le syllabisme seul qui fait le vers. On la trouve au XIXe siècle par exemple chez Quicherat (1866). Nulle mention de l'accent. Jusqu'aux travaux de l'abbé Scopa, repris par les théoriciens du vers libre, Kahn, Ghil, et les études de Robert de Souza (*Le Rythme en français*, Paris, 1912) ou André Spire (articles du *Mercure de France* d'août 1912 et juillet 1914), on ignore son rôle dans la versification. Les seuls accents que connaissait Wailly étaient ceux de l'écriture. Quant à l'abbé d'Olivet, il définissait l'accent prosodique, « inflexion de la voix, qui s'élève ou qui s'abaisse », l'accent oratoire d'insistance, l'accent musical qui « subordonne l'abaissement ou l'élévation à des intervalles certains, et qui sont tellement mesurés que s'en départir moins du monde, c'est enfreindre les lois de la musique » (p. 319) et l'accent national ou provincial. Il est clair que notre accent recouvre à la fois l'accent prosodique et l'accent musical, mais loin de reconnaître leur rôle, l'abbé d'Olivet ajoutait que seul importait l'accent oratoire.

Il faut donc attendre la fin du XIXe siècle pour que soit reconnu le rôle de l'accent. A ce moment-là, le vers reçoit l'analyse suivante (E. Dujardin, *Mallarmé par un des siens*, 1936, Paris) : « Le vers français est essentiellement constitué par la succession d'un certain nombre de pieds rythmiques » (p. 113) définis par les accents : un pied rythmique est « un mot ou un ensemble de mots lequel... porte un accent à la dernière syllabe (à l'avant-dernière, si la dernière est muette) » (p. 111). De ce point de vue, il n'y a donc pas de différence de nature entre prose et vers : « Toute phrase, d'ailleurs, est composée de pieds rythmiques » (p. 120), mais le vers coule cette organisation rythmique dans une organisation syllabique.

Ces deux conceptions, rythmique et numérique, se partagent les analyses contemporaines.

2.3.2. La conception la plus répandue est celle qui ramène le mètre au rythme linguistique. Pour Grammont (1937), Mazaleyrat (1974), il n'existe qu'une organisation rythmique du vers : c'est « un système de mesures rythmiques, fondé sur une série perceptible des parties entre elles et des parties au tout » (Mazaleyrat p. 16). Ces mesures rythmiques sont définies par l'accent. Le vers fait évidemment intervenir aussi un nombre de syllabes, mais il est subordonné au groupe rythmique et à la place de l'accent : « la nature du vers est indépendante des caractères qu'on peut croire primordiaux », comme le « syllabisme fixe » (Mazaleyrat, p. 12), un même rythme étant en définitive à l'œuvre dans les vers syllabiques, dans les vers libres et dans la prose. Le vers n'est que l'exploitation optimale du rythme linguistique. Là où la prose offre des proportions lâches, même dans la prose dite poétique,

> O Mourons /, ma douce Amie! / mourons, /
> 3 s 4 s 2 s
> la bien aimée de mon cœur! /
> 7 s
> Que faire désormais / d'une jeunesse insipide /
> 6 s 7 s
> dont nous avons épuisé / toutes les délices ?
> 7 s 5 s
> (Rousseau, *La Nouvelle Héloïse.*)

fondées sur la fréquence des groupes accentuels de 3 à 7 syllabes, le vers tâche au contraire, le plus souvent dans les limites de 8, 10 ou 12 syllabes, d'organiser des équivalences ou proportions récurrentes, 6 s + 6 s, 4 s + 6 s...

Cette définition du mètre par le rythme linguistique a pour conséquence qu'aucune autonomie n'est accordée aux unités métriques et à l'organisation interne du vers.

En premier lieu, les groupes rythmiques, définis par l'accent, le sont en définitive par une organisation sémantique et syntaxique. On ne scinde pas :

> Poètes, par nos chants, / penseurs, par nos idées
> (Hugo, *Sunt lacrimae rerum.*)

> Ce commerçant venait / / de couper quelques têtes
> (Apollinaire, *L'Emigrant de Landor Road.*)

mais on respecte l'organisation syntaxique qui, en cas de hiérarchie des groupes, n'est pas objective et imposée, mais subjective et définie dans la perception qu'a le lecteur du matériel linguistique. Découpera-t-on :

> Ce qu'on prend pour un mont est une hydre; / ces arbres
> Sont des bêtes /, ces rocs hurlent avec fureur;
> (Hugo, *Magnitudo Parvi.*)

ou, entre autres possibilités :

> Ce qu'on prend pour un mont / est une hydre; / ces arbres
> Sont des bêtes, / ces rocs hurlent / avec fureur; ?

La segmentation dépend étroitement de l'interprétation du texte, comme le disent clairement ces commentaires de Mazaleyrat sur les difficultés qu'offrent certains vers : « C'est alors à une conscience la plus sûre des valeurs du texte qu'il faut faire appel pour résoudre ces doutes et prendre ces options. Le rôle esthétique de la discordance est au fond de faire du rythme du vers un donné mouvant, dont il est après tout fort sain qu'il laisse, pour son interprétation, quelque part à l'intelligence » (p. 136). Dans tous les cas, l' « impératif » est de « donner au vers l'expressivité optimale compte tenu du style et du sens ». Dans cette optique, il n'y a pas de versification sans stylistique, comme le prouve également *Le vers français* (1937) de Grammont, où des chapitres entiers sont consacrés à analyser les vers en relation avec les intentions du poète et les effets produits.

En plus de l'assimilation des segments métriques et linguistico-rythmiques, deux points permettent également de montrer l'absence d'autonomie des unités métriques : les coupes et même la syllabe. Les coupes en général, et la césure en particulier, coïncident dans cette perspective avec des articulations de la phrase, mais aussi avec des faits phonétiques, silence, pause : « la césure est un repos de la voix » dit Dorchain (s.d., p. 190). Selon Elwert (1965) elle « consiste à faire suivre un nombre déterminé de syllabes, dont la dernière doit être accentuée, par une coupe syntaxique, à laquelle correspond une courte pause » (Elwert, p. 162). Une fois de plus, rien ne distingue l'organisation du vers de celle d'une phrase quelconque.

Cette conception de la coupe comme fait phonique fait difficulté lorsque la présence à la fin d'un groupe d'un [ə] non accentué place la coupe à l'intérieur d'un mot. Elwert cite en particulier le cas de la césure enjambante au Moyen Age :

> Qui de s'ami / e respite sa joie.

ou dans la poésie moderne

> Les pétales tombés des cerisiers de mai
> Sont les ongles de cel / le que j'ai tant aimée
>
> (Apollinaire, *Mai.*)

qu'il commente en ces termes : « Théoriquement, la césure coupe alors le mot, mais en réalité la pause est déplacée d'une syllabe »

(Elwert, p. 64). Qu'est-ce à dire, sinon que la césure ne devrait peut-être pas être liée à la pause ?

Autre difficulté : les [ə] élidés à la césure devant voyelle, comme dans :

> Solitude, où je trouve une douceur secrète
>
> (La Fontaine, *Songe d'un habitant du Mogol.*)

ou, à la 4e syllabe d'un décasyllabe.

> J'aime être libre, et veux être captif
>
> (Ronsard, « J'espère et crains »...)

Trouve et *une*, *libre* et *et* étant nécessairement liés par l'élision du [ə], où se situe le silence ?

Ce qui est en cause ici, c'est aussi le rapport du vers à la diction qui touche le [ə], les diérèses et synérèses et la rime (cf. chapitre suivant), tous points sur lesquels la diction poétique peut s'éloigner de la prononciation courante. Dans le type de conception considéré dans ces paragraphes, on admet généralement que cette diction n'est pas artificielle et que le vers est garanti par une prononciation, même archaïque : en aucun cas, il ne représente une convention artificielle et le décalage chronologique ne change rien au fait, fondamental, que le vers reflète une organisation linguistique. On assiste là à une tentative de *naturalisation* de la métrique, qui apparaît aussi dans le compte des syllabes.

Elles ne jouent en français de rôle que dans le vers, comme unité de compte, au point que la prose rythmée est souvent qualifiée de prose métrique ou poétique. Or, dans ces analyses, le caractère original de la syllabe qui en fait une unité métrique privilégiée n'est jamais mis en valeur. Tout concourt au contraire à minimiser son statut métrique pour insister sur ses caractéristiques phonétiques : « Le sentiment du rythme, la délimitation des groupes viennent de la perception d'un allongement de la syllabe tonique de chaque ensemble. Mais il n'est de valeur numérique rigoureuse ni de ces syllabes « longues » ni des « brèves » qui les séparent en en mesurant les retours... On croit les syllabes semblables, alors qu'en fait elles ne le sont pas. Le système du vers français, établi sur des rapports d'unités incertaines, est fondé sur des illusions » (Mazaleyrat, p. 31).

Aussi peut-on être « libéral sur leur exacte délimitation », et même sur leur nombre exact, comme cela apparaît dans ce passage de Thibaudet (1926, p. 54) : « L'alexandrin, je le rappelle, est fait, non de douze ou treize syllabes (cela est une conséquence ou un accident) mais de quatre accents espacés, un dont la place, à la rime, est fixe, un dont elle l'est, à la césure, à peu près, deux dont elle est, dans le corps des hémistiches, presque facultative », qui dénie tout rôle à la syllabe, entièrement subordonnée « par accident » à l'accent, fondamental.

On néglige ainsi souvent les isométries au profit d'équivalences temporelles, en recherchant, comme le fait Grammont, la nécessaire équivalence des mesures dans la durée des syllabes. Une fois encore, on confond le mètre avec la diction, qui n'en est pourtant qu'une réalisation.

Toutes ces difficultés ne doivent pourtant pas faire oublier les apports de cette analyse rythmique du vers. Il n'est en effet pas question de minimiser le rôle du rythme, ne serait-ce que dans la perception que l'on a du vers. La poésie se relie ainsi à un grand nombre d'activités telles que la danse, le chant, la musique et on comprend mieux ses fondements anthropologiques : parce qu'elle utilise un rythme à fondement sans doute biologique, il est normal qu'elle soit présente dans toutes les cultures, si diverses soient-elles. Il n'est pas non plus sans intérêt que le rythme sur lequel s'appuie la poésie française soit linguistique : ceci nous fait entrer dans la dialectique des relations entre la poésie et la langue, et surtout explique pourquoi octosyllabes, décasyllabes et alexandrins sont les vers privilégiés du français. C'est qu'il s'agit de mètres pairs propres à présenter des équilibres et des symétries, et aussi à intégrer ces groupes de 3 ou 4 s qui constituent les groupes accentuels les plus fréquents :

> Je suis Souris : vive les Rats
>
> (La Fontaine, *La chauve-souris et les deux belettes.*)

> D'une douleur / on veut croire / orpheline
>
> (Verlaine, *Sagesse VI, IX.*)

> Andromaque, / je pense à vous ! / Ce petit fleuve
>
> (Baudelaire, *Le Cygne.*)

En particulier, il n'est pas étonnant que dans l'alexandrin, les coupes 3 + 3 :

> Au milieu, cette étoile, effrayante, agrandie;
>
> (Hugo, *Magnitudo Parvi.*)

2 + 4 :

> Chopin, frère du gouffre, amant des nuits tragiques,
>
> (Maurice Rollinet, *Chopin.*)

soient si souvent représentées.

Mais l'importance de l'organisation rythmique du vers, sous prétexte que nous y sommes sensibles parce qu'elle est linguistique et naturelle, ne doit pas nous empêcher de réfléchir sur l'éventualité d'une organisation spécifique.

2.3.3. Deux conceptions ont soutenu l'autonomie de la métrique, celle que représente la métrique générative, et celle que B. de Cornulier appelle la métrico-métrique.

2.3.3.1. Pour la métrique générative, de même qu'il existe une compétence grammaticale qui permet de repérer les séquences grammaticales et inacceptables, il existe une compétence métrique autonome qui permet de trier entre les vers corrects et faux. Cette compétence métrique idéale se divise en deux parties : un schéma abstrait sous-jacent, et des règles de réalisation (Halle-Keyser, 1972) qui font passer du schéma aux unités linguistiques. Ainsi, le schéma abstrait du pentamètre iambique, sur lequel ont porté la majorité des analyses de ce type, correspond à une séquence de positions faibles (W = weak) et fortes (S = strong) :

(W) S W S W S W S W S (x) (x).

Les positions *x* sont nécessairement faibles et les parenthèses notent des éléments facultatifs (Halle-Keyser, 1972, p. 223). Ce schéma correspond parfaitement à l'exemple canonique

The cúrfew tólls the knéll of párting dáy
W S W S W S W S W S

Les règles de correspondance sont doubles. Elles assurent d'une part la liaison entre une position et une unité linguistique (que représente la syllabe, ou une « séquence sonore incorporant au maximum 2 voyelles » [Halle-Keyser, 1972, p. 223]) et d'autre part, elles font correspondre aux positions S des syllabes accentuées. La complexité des vers est évaluée selon le nombre d'ajustements (souvent décrits en termes de violations) nécessaires pour faire coïncider les deux niveaux.

Pour l'alexandrin, on citera, sans entrer dans le détail, les analyses de J. Roubaud (1978) et J. Roubaud-P. Lusson (1974), qui distinguent les deux niveaux suivants :

a / Un schéma abstrait : « l'alexandrin est un schéma métrique à 12 positions, concaténation de deux segments métriques à 6 positions chacun » (1974, p. 43), soit :

X X X X X X + X X X X X X

b / Des règles de correspondance. Nous en citerons deux à titre d'exemple :

1° « Toute position métrique est caractérisée par une voyelle » *(ibid.)*. Les ajustements consistent alors à déterminer quelles voyelles doivent être comptées comme remplissant une position, ce qui pose le problème du [ə]

```
X  X  X   X X X + X    X X   X X   X
|  |  |   | | |   |    | |   | |   |
Sous ce marbre repos(e) un monarque sans vic(e)
```

(Corneille, *Sonnet sur la mort du roi Louis XIII.*)

de la diérèse

```
X  XXX   X X + X X X   X   X X
|  |||   | |   | | |   |   | |
D'ambitieux regrets, ni de pompeux soupirs
```

(Corneille, *Sonnet sur la mort de Richelieu.*)

et de la synérèse

```
X X X  X X  X   X X   X   X   XX
| | |  | |  |   | |   |   |   ||
La reine Marie Stuart obtint par grand'prièr(e)
```

(R. Desnos, *Ode à Coco.*)

2° « La frontière entre deux segments métriques est au moins une frontière entre deux mots lexicaux » (1974, p. 43), règle qui signifie que la césure ne peut passer à l'intérieur d'un mot et exclut, comme alexandrin régulier :

> Mais eux, pourquoi n'en dos / ser pas, ces baladins
>
> (Mallarmé, *Le Guignon.*)
>
> Leur livre de maro / quin rouge! Hélas, Lui, comme
>
> (Rimbaud, *Mémoire.*)

C'est une certaine façon de dire que le schéma métrique doit se plier à l'organisation linguistique. « Le concret qui intéresse la question du vers est le concret *langue* » (1978, p. 85). La métrique ici tient compte de la langue. Un pas de plus est franchi dans la position de B. de Cornulier (1979, A et B, 1981).

2.3.3.2. Sa conception rigoureuse renoue avec la tradition antérieure au XIXe siècle, où le vers n'était défini que par le compte des syllabes. Au XXe siècle, elle n'est guère représentée, avant B. de Cornulier que par Lote (1949), dans son analyse du vers du Moyen Age.

Il y voit en effet « un mécanisme brutal qui se soumet le texte et le brise inexorablement selon un schéma donné » (p. 137). On opposera ce mécanisme brutal à l'intelligence du texte mise en avant par J. Mazaleyrat. Le compte des syllabes qui, dans les analyses précédentes, n'avait d'intérêt que par rapport aux mesures rythmiques, est ici le seul principe organisateur du vers : « Il suit de là que l'accent grammatical ne joue aucun rôle dans ce système » (p. 37). Une notion comme celle de coupe mobile, liée à des découpages syntaxiques et sémantiques, est donc nécessairement rejetée : « rime et césure apparaissent à des places fixes, après un nombre de syllabes précis, exigé par le type de vers considéré : il y a... césure au bout de tant de syllabes, fin de vers au bout de tant d'autres » (pp. 90-91), et encore : « La césure et la rime, ainsi rapprochées l'une de l'autre, présentent les mêmes caractères, puisqu'elles servent l'une et l'autre à équilibrer des masses et à permettre le décompte des syllabes dont se compose le vers » (p. 65).

Le vers, fait d'unités *métriques* groupées selon un principe *métrique*, n'utilise pas le rythme linguistique. Aussi est-il vain de chercher une relation de la césure avec des coupes syntaxiques ou sémantiques ». « La métrique du Moyen Age jette au sens les défis les plus incroyables » (p. 244), comme cela apparaît dans les décasyllabes suivants, dont les deux hémistiches sont nettement marqués par la musique qui impose la segmentation 4 s + 6 s :

> Laquelle j'ay — longuement désirée
> tous n'y mourrez — pas pour l'amour de moy

et même

> Si grant pres pa — vor al Judeus.

Lote lie néanmoins la césure à l'accent : « La césure est un point de repère sensible à l'oreille et situé à l'intérieur du vers. Selon la longueur du mètre, elle comporte un nombre plus ou moins grand de syllabes avant elle et les groupes sous son accent; elle est suivie d'autres syllabes qui sont également en nombre déterminé et qui se rassemblent sous l'accent de la rime » (p. 213). Mais c'est elle qui *détermine* l'accent, et non l'inverse, comme dans la conception rythmique du vers.

Cette métrique rigide est pour Lote historiquement datée et c'est en des termes tout autres qu'il évoque le vers moderne dont il esquisse une analyse rythmique. C'est donc une conception relative à une époque et à des textes particuliers. Dans la perspective de Lote, elle n'est pas extensible.

Benoît de Cornulier l'étend pourtant à la quasi-totalité des vers. Pour lui, « le principe essentiel de segmentation » de tout vers « réside dans le nombre syllabique » (1981) qui assure les indispensables isométries. La relation entre mesures est fondamentale : « la perception du nombre syllabique dans son rôle métrique est purement comparative : ainsi une suite de six syllabes n'est pas individuellement reconnue comme telle; elle est seulement reconnue comme égale à d'autres suites de même nombre syllabique » *(ibid.)*. Un vers isolé :

> Et l'unique cordeau des trompettes marines
>
> (Apollinaire.)

peut avoir un rythme, mais pas de mètre, faute d'éléments de comparaison.

La perception du vers (l'expression figure dans le passage cité) est pour B. de Cornulier d'une importance capitale, puisque c'est elle qui commande la structure de chaque vers.

Une série de tests proposés à un public pourtant familiarisé avec la poésie : détection de vers faux dans des suites régulières de 2 à 12 syllabes, repérage de vers glissés dans la prose, récitation « métrique » de séquences quelconques en segments de même nombre syllabique, d'autant plus significatifs qu'ils sont plus simples, montrent que dès qu'un vers excède huit syllabes, il cesse d'être globalement perçu. On peut par exemple repérer des vers faux dans une série de vers jusqu'à 8 syllabes, au-delà, ce n'est plus possible, à moins qu'ils n'aient une segmentation interne, ou qu'on compte leurs syllabes sur les doigts. A partir de 9 syllabes, tout vers doit donc nécessairement être segmenté et formé de segments équivalents, comme l'alexandrin 6 s + 6 s :

Je n'y résiste point; mais je sens ma faiblesse :
Il faudra vous combattre et vous craindre sans cesse

(Racine, *Bérénice.*)

ou dans une proportion numérique stable, comme le décasyllabe 4 s + 6 s :

Toujours de froid, toujours de peur saisie

(Le Moyne.)

6 s + 4 s :

Pourquoi voulez-vous donc qu'il m'en souvienne

(Verlaine, *Colloque sentimental.*)

Cette remarque, qui existait, sans être exploitée, dans des travaux antérieurs, trouve confirmation dans le présent psychologique ou capacité d'attention des psychologues (Miller, 1956, Fraisse, 1956-1974; pour un résumé, voir Tamine, 1981). Elle est exploitée pour donner une assise naturelle à la césure, dont le rôle est justement de délimiter des mesures perceptibles.

Dans un type de vers donné, la césure est par conséquent nécessairement fixe, et la mesure rigide, si bien qu'entre prose et vers la différence n'est pas de degré, mais de nature. Le passage suivant est particulièrement net sur l'opposition entre rythme linguistique et organisation métrique : « Soit l'alexandrin *Toujours aimer, toujours souffrir, toujours mourir* de Corneille, il n'est pas douteux, chez cet auteur, qu'il est divisible en deux sous-vers égaux, ce dont il est banal de rendre compte en marquant la césure dans une notation du type

Toujours aimer, toujours — souffrir, toujours mourir.

D'autre part, le parallélisme linguistique lié à la récurrence de la suite *toujours + verbe infinitif*, renforcée par la récurrence du nombre de quatre syllabes, rend évidente une division qu'on peut représenter en marquant les limites rythmiques :

Toujours aimer — toujours souffrir — toujours mourir. »

Dans ces conditions « le vers examiné se notera par exemple :

Toujours aimer = toujours + souffrir = toujours mourir.

Cette notation... laisse apercevoir que les éventuelles segmentations rythmiques peuvent se superposer à la segmentation métrique sans se combiner avec elle; elle donne l'idée d'une combinaison complexe de structure 4 = 4 = 4 et 6 + 6 au lieu de conduire à un émiettement du vers selon une structure plate unique » (Cornulier, 1981). La structure 6 + 6 de l'alexandrin, pour s'en tenir à cet exemple, peut donc, ou non, sans que cela pose le moindre problème, coïncider avec des articulations linguistiques et rythmiques

Que vous avez d'apas, belle Nuit animée!
Que vous nous apportez de merveille et d'amour;

(Tristan, *La Belle en deuil.*)

mais aussi s'en distinguer

Si je désire une eau d'Europe, c'est la flache
Noire et froide où vers le crépuscule embaumé

(Rimbaud, *Le Bateau ivre.*)

Ceci permet de lever quelques difficultés inhérentes à la conception rythmique du vers. Par exemple, une notion comme celle d'enjambement ou de rejet est contradictoire avec celle de coupe mobile liée à la place de l'accent. Le passage suivant de Grammont est totalement inconséquent : « A l'époque classique, la coupe du milieu du vers est d'ordinaire encore marquée à la fois par le rythme et par la syntaxe : le mot qui fournit la 6e syllabe et celui qui fournit la 7e n'appartiennent pas au même groupe grammatical. Quand ces deux mots sont étroitement unis par la syntaxe et quand la coupe n'est plus marquée que par le rythme, il y a rejet à l'hémistiche ... Quand avec la même cohérence syntaxique, le rythme aussi cesse de marquer la coupe, il n'y a plus de coupe du tout et c'est le vers romantique » (G., p. 59). Car si le vers est défini par le rythme, lui-même défini par les groupes accentuels syntactico-sémantiques, comment pourrait-il y avoir désaccord entre le rythme et la syntaxe ? Enjambements et rejets supposent des coupes métriques fixes et non rythmiques. « Il n'y a pas plus de sens dans l'expression 'coupe mobile' que dans celle de 'barre de mesure mobile' en musique » (Cornulier, 1979 A).

Indépendante de la syntaxe, la césure l'est également des réalisations qu'on peut en proposer dans la diction. Comme l'écrit Michel Grimaud (1980) dont les analyses sont très proches de celles de B. de Cornulier à propos du vers de Hugo :

La pierre est une cave où rêve un criminel

« On peut lire [ka : / / vu], [ka : v / / u] ou, peut-être, [ka :^{v} / /^{v} u], les variantes ne font que refléter une question banale de phonétique combinatoire, mais qui est ici accentuée par la syllabification et par la présence de la césure, données absentes dans le discours quotidien.

« La césure, obligatoire et automatique dans une position donnée pour les vers de plus de 8 syllabes, n'est liée ni à l'accent, ni à une pause, ni à la syntaxe, ni au sens. Elle n'a d'affinité pour aucun paramètre linguistique. Les seules contraintes qui pèsent sur elle sont négatives, puisqu'elle est exclue au moins dans les trois cas suivants » (Cornulier, 1979 B, p. 93) :

1 Je viens dans son tempLE + supplier l'Eternelle
2 Oui, je viens dans son tem + plE prier l'Eternelle
3 Dans son temple je VIEN + drai prier l'Eternelle.

En pareil cas, la tradition dirait que la césure est interdite après [ə] non élidé (1), devant [ə] (2), et à l'intérieur d'un mot (3), utilisant ainsi des catégories non métriques.

Les analyses de B. de Cornulier montrent bien pourtant que l'organisation métrique est indépendante du système linguistique, même s'il existe entre eux des points de rencontre, et que les unités qu'elle utilise lui sont propres. S'il arrive qu'on les confonde avec des unités linguistiques, ce n'est que superficiellement, car leur intégration dans les conventions du mètre a entièrement changé leur statut.

Le mètre n'est pas l'utilisation optimale des unités linguistiques, c'est une convention autonome, même si l'histoire a dans la période d'équilibre des siècles classiques exigé leur coïncidence.

3. HISTOIRE DU VERS ET DIALECTIQUE DU MÈTRE ET DU RYTHME

Nous nous bornerons ici, à titre illustratif, à évoquer quelques moments de l'histoire du vers, en particulier de l'alexandrin que nous définissons comme l'addition de deux segments métriques de 6 syllabes (cf. Roubaud, 1978 et Cornulier, 1981). Les positions 6 et 12, constituant la fin de chacun de ces segments, apparaissent particulièrement importantes. Elles entrent dans ce que Žirmunskij (1966) appelle les modifieurs structuraux du vers, qui sont toutes les positions frontières. Signalons qu'en français, contrairement à ce qui se passe dans certaines langues (cf. l'exemple du mongol au chapitre II), les positions initiales ne jouent aucun rôle particulier. Il n'en est pas de même de la césure et de la fin de vers, positions où va se concentrer l'évolution de l'alexandrin. Tout au long de l'histoire du vers, on assiste ainsi à deux phénomènes : le passage d'une symétrie absolue entre la 6e et la 12e position à une cohésion renforcée du vers marquée par une différenciation progressive de ces deux places, et la fluctuation des rapports du mètre et du rythme, de l'indépendance à la convergence, de la convergence à la rupture, particulièrement sensible à la césure.

Au Moyen Age, la césure est vraiment une fin de segment métrique et présente les mêmes caractéristiques que la fin de vers (l'alexandrin étant rare à cette époque, nos exemples seront surtout empruntés à l'octosyllabe et au décasyllabe).

a / La césure ni la fin de vers n'interviennent d'ordinaire à l'intérieur d'un mot, mais cela peut se produire pour l'une comme pour l'autre, puisqu'elles ne sont liées qu'au compte des syllabes (Lote, pp. 181 et sq.) :

> N'onc preterit present n'i fu
> Et si vous redis que li fu.
> Turs n'i aura james presence.
>
> (Jean de Meung.)

> Comme le papillon à la chandelle
>
> (Froissart.)

Un lecteur moderne placerait la césure dans ce dernier vers après *papillon*, à la 6e syllabe, mais la notation de l'accompagnement musical du poème, où, comme généralement à l'époque, des notes longues signalent césure et fin de vers, ne laisse aucun doute sur le fait que la césure intervient après la 4e syllabe, soit à l'intérieur du mot : *pa/pillon*.

b / En particulier, la césure dite enjambante (elle intervient devant une syllabe terminée par ə) passe à l'intérieur d'un mot :

> Doing a ma da + me ligement
>
> (Gace Brûlé.)

c / La césure dite lyrique : vu sa fréquence à la fin du premier hémistiche des vers lyriques, après un ə compté :

> Et Guichart son frer*ë* + et Aallart le blont
>
> (Renaud de Montauban.)

a également un écho à la rime :

> De bien amer grant joie atent
> Car c'est ma greignour envi*e*
>
> (Gace Brûlé.)

Progressivement la césure lyrique sera éliminée, comme la rime de même type, pour la trop grande discordance qu'elle manifestait avec le rythme accentuel. Mais son existence, même fugace, atteste l'autonomie de la métrique.

d / Le ə sera alors rejeté parallèlement hors de l'hémistiche et de la rime, constituant à l'hémistiche la césure épique :

Arras est escol(e) + de tres bien entendr(e)

(Courtois d'Arras.)

Il est intéressant de signaler que les fins d'hémistiche et de vers, qui ne sont pas marquées linguistiquement, le sont par d'autres moyens : la plupart des textes du Moyen Age sont chantés et c'est à la musique (la dernière syllabe des segments métriques coïncide le plus souvent avec une note longue), donc à un moyen entièrement extérieur au vers, qu'il appartient de les souligner.

L'époque classique résout tout autrement la question de la mise en valeur des fins de segments métriques. On connaît les préceptes de Malherbe et de Boileau :

Que toujours dans vos vers le sens coupant les mots
Suspende l'hémistiche, en marque le repos.

C'est ainsi la concordance des mesures avec des groupes rythmiques, accentuels, syntaxiques et sémantiques, qui est choisie, aboutissant à un cumul de marques linguistiques (cf. Roubaud, 1978) sur les positions 6 et 12 :

Suis-je à Sertorius ? C'est assez consulté :
Rendez-moi mes liens ou pleine liberté...

(Corneille, *Sertorius*.)

Cette mise en convergence n'est jamais que le résultat d'une normalisation arbitraire par rapport à la nature du vers. Les limites des deux hémistiches s'affaiblissent parfois, mais elles ne sont jamais supprimées :

Son ombre, en attendant Rodogune et son frère,
Peut déjà de ma part les promettre à son père.

(Corneille, *Rodogune*.)

A la même époque, l'unité complexe, le vers, prend plus d'importance que les sous-vers, et une dissymétrie s'introduit entre la fin du vers où [ə] n'est jamais compté, mais est possible (cas des rimes dites féminines) :

> Je cherche un autre époux, qui le passe, ou l'égale,
>
> (Corneille.)

et l'hémistiche où il est interdit, sauf devant voyelle. On élimine ainsi coupes lyrique, enjambante et épique qui ne réapparaîtront qu'à la fin du XIXe siècle et au XXe :

> Flamme rose dans le / grand feu noir de l'été
>
> (Béalu, *Le pendule invisible.*)
>
> Avec un bruit d'ancien / nes robes que l'on froisse
>
> (Béalu, *ibid.*)
>
> Et tout le sang du monde / circulant dans des veines
>
> (R. Desnos, *Les hommes sur la terre.*)

Tel est le vers de la poésie classique et néo-classique, en vigueur, dans les grands genres, jusqu'à Hugo.

Hugo bouleverse la coïncidence des unités métriques et sémantiques. La césure demeure 6 s + 6 s; mais elle ne coïncide plus nécessairement avec les grandes articulations syntactico-sémantiques :

> Donc, vieux partis, voilà votre homme consulaire!
> Aux jours sereins, quand rien ne nous vient assiéger
> Dogue aboyant, dragon farouche, hydre en colère
>
> *(L'autre Président.)*

Ainsi s'expliquent les prétendus trimètres hugoliens, dont parlait Grammont et qui ne sont tels que du point de vue du rythme, non du mètre. Cette discordance va en s'accentuant jusqu'à des poètes comme Mallarmé chez qui la césure passe parfois à l'intérieur de groupes syntaxiques mineurs et sépare le nom de son déterminant :

> Il s'immobilise au / songe froid de mépris
>
> *(Le Vierge, le Vivace.)*

C'est Rimbaud qui disloquera complètement l'alexandrin (Cornulier, 1979; A. Roubaud, 1978), conservant seulement ses 12 syllabes, aucune régularité n'étant décelable à la césure, comme dans ce fragment de *Mémoire*, où elle intervient même à l'intérieur d'un mot :

> Jouet de cet œil d'eau / morne, je n'y puis prendre
> O canot immobi / le! oh! bras trop courts! ni l'une
> Ni l'autre fleur : ni la / jaune qui m'importune
> Là; ni la bleue, amie / à l'eau couleur de cendre.

De l'indépendance à la convergence entre mètre et rythme, de la convergence à la rupture polémique : ainsi peut se résumer l'histoire de l'alexandrin. Le présent, c'est une crise de vers où coexistent les alexandrins les plus sages et des vers qu'aucune mesure, aucune unité ne peut plus décrire. Il suffit pour s'en convaincre de feuilleter l'anthologie de B. Delvaille, *La Nouvelle Poésie française* qui présente les jeunes poètes contemporains. Y voisinent des alexandrins minés de l'intérieur, comme ceux des derniers poèmes de Rimbaud :

> Amour en quel état m'as-tu réduit et dou
> Ce déchaîne qui plus démuni que moi
> Par tes artifices quel monarque parmi
>
> (Jean Ristat, *Epilogue.*)

des vers qui évoquent approximativement les 12 syllabes, selon le jeu du e muet :

> Tu marches dans la ville sans même te retourner
> Et si tu te retournes derrière toi il n'y a rien
>
> (Gilles Pudlowski.)

et des textes d'où même l'ombre d'une régularité est absente. Ce refus du moule traditionnel s'accompagne alors de la recherche d'autres principes organisateurs, dont témoignent certains textes de laboratoire comme ceux de Denis Roche. Ces principes peuvent se trouver dans la typographie :

DROP OUT
Se laisser tomber
Land
Electric Ladyland
Terre
Mensonge

Pas loin de Mahoganny
Stop Standart
Chiffré-Consulter numéro
Aventure s'appelle Storm
H
A E D
Z L I
A N
M

Tarots-Mystique-Nombre
Page of cups-Richesse inconnue
Page of pentacles-semence

Beaucoup de gens connus
à l'inventaire
De deux à trente-neuf

(Yves Buin, *Solitude Man.*)

les sonorités :

Et repense l'extricable, les sécables textures
le texte mal ponctué. Postures rares de ses rotules

(Christian Prigent.)

ou les répétitions de mots ou de constructions :

Ce long voyage et si court et si court cependant
A travers chaque verbe des mois
A travers tous les modes de l'amour

(Serge Sautreau et André Velter.)

Cette crise de vers est donc une crise de succession, aucun modèle général ne s'étant imposé pour remplacer celui des grands vers traditionnels.

4. CONCLUSION

Mètre et rythme, loin de s'exclure, se combinent pour définir le vers. De même que nous voyons dans la poésie un système complexe où des organisations de tout niveau s'imbriquent et réagissent les unes sur les autres, nous voyons dans le vers une construction de ces deux éléments.

Indépendamment même de sa relation privilégiée avec le rythme linguistique, le mètre crée un rythme par la récurrence de ses éléments contrastés : les hémistiches de l'alexandrin où alternent avec des positions non marquées les positions frontières généralement accentuées, constituent des cellules rythmiques; le décasyllabe où s'opposent des éléments de longueur différente, 4 et 6 syllabes :

> Les chats-huants s'éveillent, et sans bruit
> Rament l'air noir avec leurs ailes lourdes.
>
> (Verlaine, *L'Heure du berger.*)

en est une aussi, tout comme la succession de mètres différents dans des strophes :

> O paisible silence
> Tu fais tout mon plaisir
> Une simple condescendance
> Ne fait au silence mourir.
>
> (Mme Guyon, *Conduite d'abandon à Dieu.*)

Le mètre participe donc à l'élaboration d'un rythme qui rapproche la poésie de formes symboliques comme la musique ou la danse.

Mais surtout le mètre entre dans une dialectique fondamentale avec le rythme linguistique qu'il épouse :

> Flambeau de l'Univers, Charmant Père du Jour
> Globe d'or et de feu, Centre de la Lumière;
>
> (Drelincourt, *Sur le Soleil.*)

ou contrarie :

> Le mai le joli mai a paré les ruines
> De lierre de vigne vierge et de rosiers
>
> (Apollinaire, *Mai.*)

Si cette dialectique est possible, c'est que le vers, s'il est l'insertion dans un moule *a priori* d'un matériel linguistique, utilise dans cette forme rigide la plus rythmique des unités linguistiques : la syllabe. Il semble en effet que la syllabe soit une unité physiologique (Lenneberg, 1967, Biological *Foundations of Language*, New York, John Wiley and Sons), en relation peut-être avec des rythmes respiratoires, et en tout cas au moins liée au temps. Rythme linguistique et mètre se rencontrent grâce à cet élément difficile à définir, mais dont il est certain qu'il est unité de compte et élément rythmique. Ce point de convergence est suffisant pour permettre coïncidences et décalages entre rythme et mètre qui, l'un comme l'autre, constituent des récurrences de cellules de base, souples et non codées dans le premier cas, mécaniques et prévisibles dans le second. La syllabe est ainsi la base de l'édifice complexe du vers. Comment alors ne pas souligner l'originalité de notre versification et de ses « chevilles secrètes » qui permettent d'insérer dans des mesures qui ne souffrent pas l'approximation des mots ou groupes qui sont trop larges ou trop étroits. Ces chevilles, ce sont évidemment la diérèse et la synérèse, mais surtout le [ə], cette « pure merveille » (J. Réda, cité par Roubaud, 1978, p. 200) qui permet de « gonfler » ou « dégonfler » les mots.

Le [ə] est la preuve même de la tension qui joue entre le mètre et la langue. Le mètre ne fait qu'exploiter une possibilité linguistique, la labilité du [ə] selon les séquences de consonnes, mais il le fait à sa façon, selon des règles conventionnelles. Ainsi le mètre apparaît comme l'utilisation de virtualités linguistiques dans un système autonome, qui laisse pourtant subsister le premier dont il se rapproche ou s'écarte selon l'époque, l'auteur, les genres.

Construction de construction, tel apparaît le vers, qui n'est lui-même qu'une pièce dans l'édifice du poème.

Ouvrages de base : Cornulier (B. de), 1981; Deloffre (F.), 1973; Elwert (Th.), 1965; Mazaleyrat (J.), 1974; Roubaud (J.), 1978; Žirmunskij (V.), 1966.

Chapitre II

LES SONORITÉS

> Le geai gélatineux geignait dans le jasmin
> Voici, mes zinfints,
> Sans en avoir l'air,
> Le plus beau vers de la langue française.
>
> Obaldia.

o. Confrontons ce fragment des *Grenades* :

> Et que si l'or sec de l'écorce
> A la demande d'une force
> Crève en gemmes rouges de jus
>
> (Valéry.)

à ce vers de la *Négresse blonde* de Fourest :

> Un friselis frivole affole les corolles.

Avec des intentions fort différentes, ils utilisent la même concentration de sonorités identiques ou voisines.

Le but de ce chapitre est d'apporter quelques précisions sur la nature et les effets de ces récurrences de sonorités, dont certaines, comme la rime, *écorce*, *force*, participent des conventions de notre poésie, tandis que d'autres, *gemmes rouges de jus*, *friselis frivole*, non codées, sont la conséquence d'un choix stylistique.

1. GÉNÉRALITÉS : LE MATÉRIAU PHONIQUE

Les unités linguistiques ici utilisées sont non signifiantes : ce sont les sons (phones), les phonèmes et les traits qui les définissent.

Il n'est pas sûr que la différence entre phone, phonème et trait distinctif soit ici essentielle et nous nous bornerons à rappeler les traits essentiels du phonétisme français, sans entrer dans les problèmes posés par l'analyse phonologique. On compte 16 voyelles en face de 17 consonnes et 3 semi-consonnes. Les voyelles s'organisent en une série antérieure non-labialisée [i, e, ɛ, a], une série postérieure [u, o, ɔ, ɑ] et comprennent en outre — phénomène remarquable dans les langues de culture — une série antérieure labialisée [y, ø, œ] et une série nasale [ɛ̃, ɑ̃, ɔ̃, œ̃]. Le e muet, si important pour la métrique, a une réalisation proche de [ø]. Les 17 consonnes s'organisent en une série sourde et une série sonore qui se correspondent dans les occlusives [p, t, k] en face de [b, d, g] et les fricatives [f, s, š] en face de [v, z, ž], plus une série nasale sonore qui se réalise elle aussi à trois points d'articulation différents [m, n, ɲ]. Il faut y ajouter les liquides, *i.e.* la latérale [l] et la vibrante [r]. Les trois semi-consonnes [j, w, ɥ] se comportent tantôt comme voyelles et tantôt comme consonnes, permettant tous les jeux de la diérèse et de la synérèse.

De façon générale, comparé à d'autres systèmes phonétiques, le phonétisme français se caractérise par les traits suivants : 1. L'antériorité (consonnes et voyelles sont pour la plupart antérieures) ; 2. La labialité, surtout marquée dans les voyelles dont neuf sur treize sont arrondies; 3. La tension et la syllabation ouverte signalées dans le chapitre précédent; 4. L'égalité rythmique, à l'inverse de ce qui a lieu dans les langues où s'opposent longues et brèves [cf. Léon, 1966 et Carton, 1974].

C'est avec ce matériau phonique que les poètes, mais aussi les enfants, jouent, produisant des phrases dans lesquelles les sons ne sont pas distribués au hasard, mais contractent des relations nouvelles, qui viennent s'ajouter aux relations morpho-syntaxiques et sémantiques qu'ils ont habituellement.

Ces relations sonores, qui peuvent jouer dans des morphèmes, mots, phrases, vers, strophes, etc., sont toujours définies dans le cadre de la syllabe [Leech, 1969], qui est à la fois l'unité fondamentale en métrique, et la plus petite combinaison de sons. Selon que la syllabe est ouverte, CV, ou fermée, CVC, on a les possibilités théoriques suivantes selon que la voyelle et/ou la consonne est répétée (nous notons par une majuscule l'élément répété) :

a / Syllabe ouverte c v

1. C v
2. c V
3. C V

b / Syllabe fermée c v c

4. C v c
5. c V c
6. c v C
7. C V c
8. c V C
9. C v C
10. C V C

Les langues privilégient telle ou telle de ces répétitions. En français, une distinction s'opère, aussi bien dans le rôle de ces récurrences que dans la terminologie, selon qu'elles sont ou non situées dans une syllabe accentuée de fin de groupe.

Lorsque ces récurrences apparaissent dans une syllabe quelconque, on parle généralement indifféremment d'allitération qu'il s'agisse de consonnes ou de voyelles :

> De quelle plaine les reines de platine...
>
> (R. Desnos, *Rrose Sélavy.*)

Lorsqu'elles sont situées dans une syllabe finale accentuée, dont l'importance est évidemment capitale à la fin du vers, on peut adopter la terminologie suivante :

1. C v 4. C v c	allitération (récurrence de la consonne initiale de la syllabe);
2. c V 5. c V c	assonance (récurrence de la voyelle, indépendamment de ce qui peut la suivre);
2. c V 3. C V 8. c V C 10. C V C	rime (récurrence de la voyelle et de ce qui la suit éventuellement);
6. c v C	consonance;
7. C V c	rime inverse;
9. C v C	rime consonantique.

On reviendra plus loin sur (2) et le problème que pose son classement tantôt comme assonance, tantôt comme rime.

Toutes ces récurrences peuvent être utilisées de façon aléatoire ou en liaison codée avec des unités et des places métriques [cf. Žirmunskij, 1966]. Certaines langues marquent ainsi le début de vers, comme le mongol où les premières syllabes de chaque vers — réunis en quatrains — sont obligatoirement liées par une allitération :

qorin nasutai daγaluγai bi
qolĕivqan maγu-ban ese medeg delügei
qoroǰan-dur dašiγuvaγsan minu ünenbüluge
quortu sedkil bariγsan ügei bolai

(Je te suis depuis l'âge de vingt ans.
Je ne suis pas connu pour ma légèreté d'esprit
ou des actes criminels
Il est vrai que je me suis abonné à la liqueur de qoroǰ
Mais je n'en ai pas conçu de pensées criminelles)

(Nicholas Poppe, 1970, *Mongolian Language Handbook*, Washington, Center for applied Linguistics.)

En français, ce sont quelquefois l'hémistiche (rimes intérieures) et surtout la fin de vers (rimes et assonances) qui sont le lieu où apparaissent les récurrences codées. Les sonorités sont ainsi un des points où se manifestent les phénomènes de couplage [Levin, 1962], *i.e.* l'utilisation dans des positions identiques (ici métriques) d'équivalences d'un autre niveau.

Il est un autre couplage auquel on échappe difficilement, celui des niveaux phonique et sémantique. Car si aucune des unités utilisées par les récurrences phoniques n'est signifiante, il reste que de tout temps les analyses n'ont pas manqué qui, sous une forme ou une autre, les mettent en relation avec le sens. Ce problème longtemps débattu du rapport du son et du sens est évidemment de première importance pour la poésie, où le choix des sons n'est pas laissé au hasard comme dans la langue courante.

Le problème que pose l'attribution d'un sens au son est celui du symbolisme phonétique. Il apparaît à travers deux questions : 1) Au niveau morphologique, la forme des mots est-elle motivée par rapport à leur sens, ou n'y a-t-il entre signifiant et signifié qu'un lien arbitraire ? 2) Au niveau phonique, quelle que soit la réponse à cette première question, peut-on attribuer à chacun des sons des valeurs sémantiques ?

Nous n'entrerons pas dans le débat sur l'arbitraire du signe qui ponctue l'histoire de la linguistique de l'Antiquité à nos jours. Nous admettrons que les mots sont généralement arbitraires, mais qu'il existe des régularités linguistiques qui constituent autant de motivations internes au système d'une langue, ainsi dans :

• Les onomatopées, *crac*, *boum*, etc., qui renvoient directement à des bruits en les adaptant à un système phonologique donné.

• La formation des mots, avec par exemple les redoublements (dont la valeur affective est essentielle dans les mots employés par les enfants pour ce qui constitue leur sphère intime, *papa*, *maman*, *mémé*, *dodo*, *nounours*, *mimi*, etc. [cf. Cl. Bonnet et J. Tamine, La création des mots chez les enfants, *Langages*, 1982].

• Les mécanismes sémantiques, comme le changement de sens par métaphore (un *œil de bœuf*, une *gueule de loup*) ou métonymique (un *rond-de-cuir*, un *gratte-papier*) [Ulmann, 1952, 1970]. Les analyses de Pierre Guiraud sur les *Structures étymologiques du lexique* [1967, Paris, Larousse] ont montré la productivité de ce type d'associations dans la création populaire de mots, noms de plantes et de fleurs en particulier. Tout se passe ici comme si le locuteur préférait au terme savant non motivé un terme qui évoque des caractéristiques de l'objet : *gueule-de-loup*, *cœur-de-Marie*, *pied-d'alouette*..., refus inconscient de l'arbitraire, désir de naturaliser le signe, qui se manifeste aussi dans le jeu de mots et le lapsus et que nous laisserons à la psychanalyse le soin d'interpréter.

La deuxième question a suscité autant de passion que la première, comme en témoignent les deux analyses contradictoires de Grammont [1937], qui croyait fermement à la valeur sémantique intrinsèque des sons : « Nous déterminerons la valeur expressive des sons par des considérations étrangères aux vers dans lesquels ils peuvent être employés et relatives à la nature même de ces sons, et les vers ne viendront qu'après, comme des exemples destinés à illustrer la théorie » (p. 203) et de Delbouille [1962] : « La sonorité n'agit sur notre sensibilité que par l'intermédiaire de la signification des mots. Par elle-même, elle n'est rien » (p. 211).

Nous adopterons la position intermédiaire de J.-M. Peterfalvi [1970; cf. aussi Francès, 1968, et Léon, 1971]. Dans une série d'expériences appuyées sur la mise en relation :

— de mots sans signification, fabriqués, avec des mots significatifs;

— de mots significatifs avec des figures visuelles (cercles, triangles, figures irrégulières angulaires ou non, etc.);

— de mots sans signification avec ces mêmes figures visuelles, il montre que certains caractères articulatoires des sons (antériorité, labialité, aperture), sont universellement mis en relation avec des formes : les voyelles labialisées [a, o, u], sont associées à des formes rondes, [i, y, e] au contraire à des formes angulaires, et des grandeurs : les voyelles labialisées sont associées à la grandeur, les autres, et en particulier les plus fermées, à la petitesse. On pourrait donc dire que dans cette comptine :

> C'est demain jeudi
> La fête à la souris
> Qui balaie son tapis
> Avec son manteau gris,
> Trouve une pomme d'api
> La coupe et la cuit
> Et la donne à ses petits.

le grand nombre d'assonances en [i] est une façon de suggérer la petitesse de la souris. De même des mots comme *petit* et *gros* sont-ils particulièrement bien adaptés à l'idée qu'ils expriment. Mais hors de cette sphère sémantique très limitée, où apparaît un symbolisme qui repose sur la mise en correspondance des caractéristiques de stimuli acoustiques (déjà associés à des traits articulatoires) et visuels, les associations ne sont plus déterminées et contrôlables : « S'il existe un symbolisme phonétique dans les mots de la langue, ce ne peut être que par la correspondance entre leur composition phonique et un signifié impliquant l'expérience de stimuli d'autres modalités. D'où cette formulation de notre hypothèse générale : « L'adéquation des mots dépend de leur catégorie sémantique et notamment du fait qu'ils désignent ou non des expériences sensorielles » (p. 136).

Or, ce symbolisme-là, orienté, est rarement utilisé en poésie, au profit d'un symbolisme plus flou. Nous aurons donc à nous interroger dans ce chapitre à la fois sur les types de récurrences phoniques utilisés par la poésie, et sur leurs valeurs symboliques : dans les deux cas nous aurons à distinguer deux pôles, codé et libre, entre lesquels jouent ces récurrences.

2. LES RÉCURRENCES CODÉES

En français, elles se définissent à partir de la dernière voyelle accentuée. Ce sont l'assonance et surtout la rime, qui, bien qu'elle ne soit pas un élément à proprement parler métrique, joue pourtant un rôle fondamental en versification, dans la définition du vers.

2.1. *Définitions et historique*

L'assonance, depuis le Moyen Age, est définie comme la répétition de la dernière voyelle accentuée du vers :

> Oez, seignors, de Dam-le-Dé
> Comment il est plains de pité
>
> (Béroul, *Tristan et Yseut.*)

éventuellement suivie d'un [ə] : *entrée/espée* (Béroul) ou de consonnes différentes : *visage/pale (La chanson de Roland)*. A partir de 1200 environ [cf. Lote, 1951], l'assonance décline, d'abord dans la poésie savante, puis dans l'épopée populaire, au profit de la rime qui existait déjà dans la poésie latine du Moyen Age. La rime se définit comme la répétition de la dernière voyelle accentuée et de ce qui la suit éventuellement :

> L'amor est morte
> Ce sont ami que vens emporte
>
> *(La Complainte Rutebeuf.)*

Assonances et rimes portent ainsi sur des sons, et non sur des phonèmes. C'est d'abord la rime masculine terminée par une consonne ou une voyelle autre que [ə] qui va prédominer, parce qu'elle fournissait l'équivalent exact de la rime latine oxytonique. La rime féminine, terminée par [ə], et ainsi nommée à cause de son affinité pour les terminaisons féminines, se développe peu à peu. Dès la fin du XVe siècle, Jean Molinet, dans son *Art rhétorique*, fixe, pour certaines formes poétiques, le principe de l'alternance qu'étendra la Pléiade et qu'exigera Malherbe.

Les définitions précédentes soulèvent quelques difficultés. Lorsque la dernière syllabe du vers est ouverte, selon le schéma CV, on se trouve dans un cas où la distinction entre l'assonance (répétition de la dernière voyelle V) et la rime (répétition de la dernière voyelle que rien évidemment ne vient ici suivre) est neutralisée : assonance, *s'humilie/félonie* (Rutebeuf, *Le Miracle de Théophile*), rime (*rôdait/s'agitait*, Baudelaire, *Un Voyage à Cythère*). Cette neutralisation conduit à deux questions :

a / Dans le cas d'homophonies comme *va/trouva*, selon la définition stricte de la rime, qui ne prend pas en considération les consonnes qui précèdent la voyelle accentuée, on ne devrait pas parler de rime mais d'assonance. C'est pourtant ce que fait la tradition, qui prend donc ici en compte le nombre d'homophonies. On conviendra donc d'appeler également rime ce type de récurrences, à condition que le contexte s'y prête.

b / En effet, puisque rime et assonance ne se distinguent théoriquement pas dans le cas d'une syllabe ouverte, comment décider si dans *vécu/vu* (Eluard, « La courbe de tes yeux... ») on a affaire à l'une plutôt qu'à l'autre ? C'est ici l'histoire et le contexte qui permettent de décider. Dans la poésie classique et jusqu'à la fin du XIXe siècle, le mélange des assonances et des rimes est exclu, ce que prouve le fait que les sons terminaux du vers sont toujours identiques :

> Car pour garder toujours la beauté de son âme,
> Pour se remplir le cœur, riche ou pauvre, homme ou femme,
> De pensers bienveillants
> Vous avez ce qu'on peut, après Dieu, sur la terre
> Contempler de plus saint et de plus salutaire
> Un père en cheveux blancs !

(Hugo, *A Mademoiselle Louise B.*)

sans que jamais n'apparaisse de différence de consonnes terminales. Les textes modernes sont souvent indifférents, comme au Moyen Age, au mélange des deux :

> Elle gisait, le cœur découvert. A minuit,
> Sous l'épais feuillage des morts,
> D'une lune perdue elle devint la proie
> La maison familière où tout se rétablit.
> D'un geste il me dressa cathédrale de froid,
> O Phénix! Cime affreuse des arbres crevassée
> Par le gel! Je roulais comme torche jetée
> Dans la nuit même où le Phénix se recompose.
>
> (Y. Bonnefoy, *Douve parle.*)

Mais pour certains textes, situés dans l'entre-deux, il sera préférable de décider en faveur de la rime *ou* de l'assonance. C'est ici le contexte qui sera décisif. Ainsi, dans *Les Fiançailles* d'Apollinaire :

> Au petit bois de citronniers s'énamourèrent
> D'amour que nous aimons les dernières venues
> Les villages lointains sont comme leurs paupières
> Et parmi les citrons leurs cœurs sont suspendus

où l'homophonie des consonnes finales est toujours respectée, en dehors du premier vers du poème, hors système, on choisira le système unique de la rime où *venues* et *suspendus* constituent une rime pauvre.

Signalons enfin que depuis la fin du XIXe siècle, on assiste à une libération par rapport à la rime, qui s'accompagne paradoxalement d'une recherche de nouveaux rappels sonores. Nous citerons entre autres la consonance c v C — que Tristan Derême appelait contre-assonance — qui joue sur la répétition de la dernière consonne du vers, tandis que varient les voyelles :

> Pauvre automne
> Meurs en blancheur et en richesse
> De neige et de fruits mûrs
> Au fond du ciel
> Des éperviers planent
> Sur les nixes nicettes aux cheveux verts et naines
>
> (Apollinaire, *Automne malade.*)

Le texte ici associe consonances *(-omne, -anent, -aines)* et assonances *(-esse, -ciel, -aines)*.

Dans leur *Petit traité de versification* [1923], J. Romains et G. Chennevière en ont consigné d'autres : rimes renversées, qui obéissent aux schémas :

c V C	C^1 V C^2
C V c	C^2 V C^1

comme dans cette strophe de *La blanche neige* d'Apollinaire :

Bel officier couleur du ciel
Le doux printemps longtemps après Noël
Te médaillera d'un beau soleil
D'un beau soleil

où *ciel* rime avec *Noël*, *soleil* avec *soleil*, mais où *ciel* et *soleil*, *Noël* et *soleil* sont liés par des rimes renversées : jɛl/lɛj et ɛl/lɛ.

• Rimes « augmentées », où l'un des deux éléments du couple présente un ou plusieurs sons de plus que l'élément avec lequel il rimerait sans cette adjonction, comme dans :

Partir, en un soudain épanouissement
De leur centre qu'un feu par le dedans tourmente

(Jules Romains, « Tandis que des quartiers se boursouflent et font... ».)

Cocteau l'utilise très fréquemment :

Accidents du mystère et fautes de calculs
Célestes, j'ai profité d'eux, je l'avoue.
Toute ma poésie est là. Je décalque
...
Dire que l'entreprise est simple ou sans danger
Serait fou. Déranger les anges!

(« Accidents du mystère... »)

L'abandon de la rime stricte est donc loin d'être nécessairement une voie de facilité.

2.2. *Rime et morpho-syntaxe*

Si les rimes ne sont théoriquement définies que sur des unités phoniques, on assiste, au long de l'histoire, à un mouvement semblable à celui qui associe la césure à des faits linguistiques qui lui sont extérieurs. On l'a déjà dit à propos de la métrique, au Moyen Age, l'accent de fin de vers n'est qu'une conséquence du mètre. On ne s'étonnera donc pas que la rime, à cette époque, puisse tomber à l'intérieur d'un mot :

> ... Si comme il me rapporta
> Vid que couleur de morte a
> Voit...
>
> (Christine de Pisan, *Duc des vrais amans.*)

ou sur des outils grammaticaux qui ne sont pas accentués :

> Car il n'est nul, pour voir di ce
> que, s'il encline a l'aucun vice
>
> *(Le roman de Fauvel.)*

La tendance qui se développe au cours du Moyen Age, et surtout au XVIe siècle pour arriver à la doctrine classique, à faire coïncider les unités métriques et rythmiques, exclura les rimes sur des éléments non accentués, déterminants, prénoms atones, *me*, *le*, *ce*, etc., prépositions... Au XIXe siècle, avec des poètes comme Rimbaud ou Verlaine, la remise en cause de la coïncidence entre mètre et rythme aboutit, comme à la césure, à l'insertion à la rime, d'éléments non accentués :

> Mais moi, Seigneur! Voici que mon Esprit vole,
> Après les cieux glacés de rouge, sous les
> Nuages célestes qui courent et volent
> Sur cent Solognes longues comme un railway
>
> (Rimbaud, *Michel et Christine.*)

> Prince et princesse, allez, élus
> En triomphe par la route où je
> Trime d'ornières en talus.
> Mais moi je vois la vie en rouge.
>
> (Verlaine, *Ballade de la vie en rouge.*)

Ces découpages du vers foisonnent dans la poésie contemporaine.

La rime n'a pas été uniquement mise en relation avec l'accent, mais couplée aussi avec des catégories morpho-syntaxiques et lexicales. C'est ainsi [Martinon, 1962] que si un mot peut rimer avec un mot de la même catégorie morpho-syntaxique (verbe avec verbe, nom avec nom, etc.), on exclut, dès le Moyen Age, la rime d'un mot « avec lui-même », par cette raison toute simple, dit Martinon, « que la rime est la consonance de deux mots différents » (p. 48), ce qui implique que l'on peut faire rimer des homonymes :

> Heureux l'ami du raisin mûr,
> Qui toujours, riant sous sa treille,
> Trouve une grappe sur son mur
>
> (Hugo, *Idylles*.)

ou des mots, étymologiquement identiques, mais dont l'emploi s'est spécialisé :

> De prendre tous pourtraits en une mesme part,
> Et dans un mesme temps, elle reçoit à part
>
> (Du Bartas, « Rien n'est icy constant ».)

La rime de deux mots identiques formellement et sémantiquement est toutefois tolérée en vue d'un effet stylistique :

> Voix de l'orgueil : un cri puissant comme d'un cor,
> Des étoiles de sang sur des cuirasses d'or.
> On trébuche à travers des chaleurs d'incendie
> Mais en somme la voix s'en va, comme d'un cor.
>
> (Verlaine, *Sagesse XIX*.)

Pour la même raison qui veut que la rime soit l'utilisation d'une identité sur fond de différences, on exclut la rime du simple avec le composé *mortel/immortel*, *faire/défaire*, sauf s'ils présentent une spécialisation sémantique : *cède/succède*, *front/affront*... :

On tolère à peine les rimes de deux mots différents mais terminés par un suffixe identique *superbement/magnifiquement*, les mots des mêmes séries grammaticales *nous/vous*, *mien/tien*, les désinences de même type *chantera/clamera*, bref tous les couplages trop faciles.

Il faut pourtant signaler qu'utilisées en série, ces facilités deviennent virtuosité, ou jeu de langage : elles sont donc abondamment représentées par exemple chez les Grands Rhétoriqueurs, certains poètes baroques, avec les rimes grammaticales :

Noire divinité qu'on ne peut assez craindre,
Et qui faites qu'en vous on aime ce qu'on craint!
Qui regarde ce crespe, et qui vous entend plaindre,
Croit voir, et croit entendre une ombre qui se plaint.

(Chevreau, *La belle en deuil.*)

et dérivatives :

De blasme serez accusés
Si bientôt ne vous excusez
De vos parlers villains infâmes.
Ha lasches cueurs plains de diffames.

(Jean Marot, *La vray-disant advocate des Dames.*)

Enfin, la rime est ordinairement limitée à un mot (*voyage*, *courage*, La Fontaine, *Les deux pigeons*). Néanmoins les rimes réparties sur deux mots distincts (*silence*, *six lances*, R. Desnos, *21 heures le 26 novembre 1922*) ne sont pas rares sous le nom de rimes équivoquées, chez tous les poètes qui, pour des raisons fort diverses, cultivent les jeux de langage :

Ce me va hormis l'y taire
Que je sente du foyer
Un pantalon militaire.

(Mallarmé, *Petit air.*)

Mon père est marinier
Dans une péniche
Ma mère dit la paix niche
Dans un mari niais.

(Bobby Lapointe, *Mon père et ses verres.*)

Elles culminent dans les vers holorimes :

Automne,
L'eau tonne
Sur le toit;
Toi, tu ronronnes.
Toiture : on ronne

(Jean Desmeuzes, *Automne.*)

2.3. *Qualité des rimes*

On distinguera différentes sortes de rimes, selon le nombre de sons répétés.

La rime pauvre, ou faible, ne comprend que la répétition de la dernière voyelle accentuée : *Qu'avez-vous / Yeux si doux* (Hugo, *L'ombre*). Elle ne se rencontre par voie de conséquence que dans une syllabe ouverte, puisque, si des consonnes différentes suivaient la voyelle, on aurait une assonance.

La rime suffisante est caractérisée par la présence de deux homophonies VC, dans le cadre d'une syllabe fermée *jour/amour* (Hugo, *ibid.*), ou CV, dans le cas d'une syllabe ouverte, *doré/sacré* (Hugo, *Tristesse d'Olympio*). Dans ce dernier cas, la tradition parle de rimes riches. Mais nous préférerons à cette analyse la conception post-romantique qui classe avec précision les rimes selon le nombre de sons répétés. On réservera donc le terme de rimes riches aux segments qui présentent au moins trois homophonies, CVC (*meurtrissure/blessure*, Boileau, *Le Lutrin*), VCC (*célestes/détestes*, Racine, *Phèdre*) en syllabe fermée, CCV (*formé/fermé*, Racine, *Bajazet*) ou VCV (*aggravés/savez*, Hugo, *A Olympio*) lorsque la syllabe finale est ouverte.

Si les deux segments identiques sont tels que deux syllabes sont répétées, on parlera de rimes superflues (doubles, léonines) ou plus clairement dissyllabiques [Mazaleyrat, 1974, p. 193] : *somptueuse/vertueuse* (Jean Molinet).

Quelle que soit leur qualité, toutes les rimes peuvent être enrichies par des rappels phoniques proches, sans être contigus, du segment qui fournit la rime : *maladie/mélodie* (anonyme), *délire/déchire* (Hugo, *Vere novo*), ou par des échos jouant, dans des sons ou phonèmes différents, sur des traits identiques : *rhétorique/angélique* (Jean Molinet), *persan/allons-nous-en* (Hugo, *Tout s'en va*).

Elles peuvent également être enrichies par des répétitions graphiques : *partout/debout* (Valéry, *La Jeune Parque*), la rime étant devenue, au cours des âges, un système mixte qui repose sur des relations pour l'oreille et pour l'œil.

2.4. *Graphie et phonie*

En ancien français, en effet, lorsqu'apparaît la rime, on exige une homophonie absolue pour les voyelles et les consonnes, selon les traditions des Provençaux : « Rime et assonance sont régies par une même loi : elles sont faites pour l'oreille » [Elwert, 1965, p. 96]. Mais l'évolution de la prononciation, et en particulier la chute des consonnes finales [cf. Thurot, 1966] va amener bien souvent une divergence entre la graphie et la prononciation, aboutissant à un compromis artificiel qui témoigne une fois encore de la dialectique entre la langue et la versification.

Selon le principe strict qui définit la rime (VC) les consonnes qui précèdent la voyelle accentuée sont peu prises en considération, si bien qu'aucune concordance de graphie n'est exigée pour elles *triomphons/profonds* (Hugo, *En écoutant les oiseaux*), *proscriptions/dissensions* (Corneille, *Suréna*) ni d'ailleurs pour toutes les consonnes qui graphiquement ne sont pas en finale de syllabe, même si elles le sont oralement : *terrasse/grâce* (Verlaine, « Du fond du grabat... »), *offense/s'avance* (Racine, *Phèdre*). En pareil cas, seule compte l'homophonie. La graphie oppose donc *c v* et *v c* et les consonnes *graphiques* finales font l'objet d'un traitement spécial. La tradition classique considère en effet que seules riment les consonnes graphiques finales qui sont identiques, ou qui auraient la même prononciation en liaison : *doux/vous* (Corneille, *Le Cid*), *aspirez/préparées* (Corneille).

Ce compromis est la source de difficultés lorsqu'un des mots de la rime comprend une consonne graphique finale qui doit être effectivement prononcée : *Titus/perdus* (Racine, *Bérénice*), *Madrid/esprit* (Musset).

En pareil cas, c'est la graphie (et la fiction de sa correspondance avec une identité de prononciation) qui l'emporte, et il ne reste plus qu'à ignorer la prononciation. Dans l'exemple de Musset, la fiction est ainsi que *Madrid* et *esprit* ont en liaison la même prononciation [t]. Cette équivalence acquise, on ignore la prononciation [madrid] vs [ɛspri].

Dans d'autres cas, on a vraiment affaire à des rimes pour l'oreille *voi/vois*, *Londres/confondre*, mais pas pour l'écriture. Deux solutions s'offrent alors, la plus classique est d'adapter l'orthographe : *après soi/je vous voi* (Racine, *Phèdre*), *Londre/confondre* (Hugo), la plus moderne est de l'ignorer :

> Je suis le démagogue horrible et débordé
> Et le dévastateur du vieil ABCD.
>
> (Hugo, *Réponse à un acte d'accusation.*)

On voit sur ce point l'interférence de deux versifications, dont l'une est abstraite et repose sur des règles de pure convention et dont l'autre, sensible et intuitive, se rapproche des règles linguistiques naturelles. Ce n'est pas sans rappeler l'interférence du mètre et du rythme. On trouve des faits du même type, rappelons-le, à propos du décompte du [ə] : la fiction graphique impose généralement le compte du [ə], mais ə + v, comme en langue, n'est pas pris en considération, et lorsque la contradiction entre graphie et phonie est trop sensible (v + ə + c), la séquence est tout simplement interdite. De même les hiatus représentent encore un cas d'ajustement.

On sait que depuis Ronsard, et surtout Deimier et Malherbe, la rencontre des voyelles finale et initiale de deux mots est condamnée. Mais cette règle, phonique, tient compte de l'écriture, puisqu'il suffit que le premier mot se termine par une consonne graphique, muette, pour que l'hiatus phonétique soit autorisé :

> Sous le faix du fagot aussi bien que des ans
>
> (La Fontaine, *La Mort et le bûcheron.*)

comme il l'est aussi si le premier mot se termine par un ə :

> ... Si le sort ne m'eût donnée à vous.
>
> (Racine, *Mithridate.*)

Ici, le ə, non compté, met en présence [e] et [a]. Graphiquement, il fait tampon entre *e* et *à*, et cela suffit.

Une fois de plus, on voit comment les règles de la versification se composent sur la base d'un matériau hétérogène.

2.5. *Rôle des rimes*

La nature artificielle de la rime, sans cesse à la recherche d'un équilibre entre l'oral et l'écrit est, plus encore que le compte des syllabes, une lourde contrainte, et si sa permanence à travers les siècles en dit plus qu'un long discours sur ses mérites, elle n'a évidemment pas manqué de détracteurs. Ainsi au début du XVIIIe siècle Dubos : « La nécessité de rimer est la règle de la poésie dont l'observation coûte le plus et jette le moins de beautés dans les vers. La rime estropie souvent le sens du discours et elle l'énerve presque toujours » (*Réflexions*, I, XXXVI) ou Fénelon : « Notre versification perd plus, si je ne me trompe, qu'elle ne gagne par les rimes : elle perd beaucoup de variété, de facilité et d'harmonie... La rime ne nous donne que l'uniformité des finales qui est souvent ennuyeuse et qu'on évite dans la prose, tant elle est loin de flatter l'oreille... » (*Lettre sur les occupations de l'Académie V. Projet de poétique*), et au XIXe siècle, Hugo :

> J'ai pris et démoli la bastille des rimes,
> J'ai fait plus : j'ai brisé tous les carcans de fer
>
> (*Réponse à un acte d'accusation.*)

et Verlaine :

> Tu feras bien, en train d'énergie
> De rendre un peu la Rime assagie.
> Si l'on n'y veille, elle ira jusqu'où ?
>
> (*Art poétique.*)

Mais l'un comme l'autre ont pourtant conservé la rime. Une fois de plus, on assiste à ce double jeu qui fait refuser une contrainte au nom du naturel, tout en la poussant à ses conséquences extrêmes et en l'utilisant au maximum de ses possibilités. On en voit d'autres exemples dans la poésie moderne qui rejette la rime, au nom de principes théoriques, mais lui substitue, dans sa pratique, d'autres échos sonores.

C'est sans doute que les fonctions que remplit la rime sont essentielles au vers français : elle est obligatoire, on est donc pour ou contre elle, mais on ne peut l'ignorer.

Si l'on peut concevoir des systèmes de versification sans rime (pentamètre iambique anglais, hexamètre dactylique latin et grec, etc.), ceci ne veut pas dire que là où elle est codée, comme en français, elle ne contribue pas à l'organisation, et à la perception du vers. Même si, dans son principe, elle n'est pas métrique, il semble bien que dans notre poésie, la rime définisse le vers autant que le compte des syllabes.

En témoigne, entre autres, l'étymologie du mot *rime*, qui n'est autre que *rythmus*, qui a ainsi donné naissance à des doublets, rime et rythme, qui se sont différenciés. C'est qu'au Moyen Age, les théoriciens ne les distinguent pas. Jean de Garlande peut ainsi écrire : « Ritmus est consonantia dictionum in fine similium sub certo numero sine metricis pedibus ordinata » [Dragonetti, 1979]. Le rythme, qui définit le vers, est à la fois le nombre de syllabe fixe *(sub certo numero)* et l'homophonie finale *(consonantia dictionum in fine similium)*, à laquelle le passage accorde même plus d'importance.

Ainsi, bien que la rime ne soit qu'un outil parmi d'autres, musicaux, linguistiques [Tamine, 1981], utilisé pour marquer une fin de segment métrique, on ne peut négliger son rôle dans la construction du vers français. Il est frappant de constater à cet égard dans l'histoire de l'alexandrin que la rime se développe au fur et à mesure que l'accompagnement musical qui soulignait les limites du vers se raréfie au Moyen Age [Lote, 1949] et qu'à l'époque classique, où la césure, qui définit les mesures internes, est mise en valeur par la convergence des découpages métriques, rythmiques et linguistiques, la rime est contenue dans de strictes limites : elle n'est l'objet ni de recherches phoniques, ni de jeux sémantiques. Au contraire, lorsqu'au XIXe siècle la perception des mesures et, partant du vers tout entier, s'affaiblit par la discordance qui s'établit entre les unités métriques et les unités linguistiques, la rime devient plus sensible et plus remarquable, et les poètes retrouvent certains procédés des Rhétoriqueurs oubliés de la poésie classique :

Se peut-il que sans toi l'Ottoman succombât ?
Pleure comme Crillon exilé d'un combat.

(Hugo, *Navarin.*)

comme si un équilibre s'établissait entre césure et fin de vers. Lorsqu'il ne reste aucune régularité perceptible à l'intérieur du vers, comme dans les dernières poésies de Rimbaud, il est frappant que la rime demeure pour porter seule le poids des mises en équivalence des segments métriques :

> Tout à la guerre, à la vengeance, à la terreur,
> Mon Esprit! Tournons dans la Morsure : Ah! passez,
> Républiques de ce monde! Des empereurs,
> Des régiments, des colons, des peuples, assez!
>
> (« Qu'est-ce pour nous, mon cœur... ».)

La rime a une indéniable fonction démarcative, même si elle n'est qu'un moyen parmi d'autres de souligner une place métrique frontière.

La rime a, en second lieu, une fonction organisatrice : la disposition et l'arrangement des rimes sont en général liés à l'organisation d'ensemble du poème, selon qu'il se déroule comme une simple suite de rimes plates, ainsi dans ce texte de Hugo où elle soutient l'énumération :

> Tu vois cela d'ici. Des ocres et des craies,
> Plaines où les sillons croisent leurs mille raies,
> Chaumes à fleur de terre et que masque un buisson;
> Quelques meules de foin debout sur le gazon...
>
> *(Lettre.)*

ou que le schéma des rimes distingue des strophes, généralement aussi appuyées sur une composition sémantique, comme dans cet extrait de *A poor young shepherd* de Verlaine :

> J'ai peur d'un baiser
> Comme d'une abeille.
> Je souffre et je veille
> Sans me reposer :
> J'ai peur d'un baiser!
>
> Pourtant j'aime Kate
> Et ses yeux jolis.
> Elle est délicate,
> Aux longs traits pâlis.
> Oh! que j'aime Kate!

La rime a aussi une fonction rhétorique et créative puisqu'elle est, au même titre que les autres figures (voir plus loin le chapitre intitulé « Ecarts et déviations »), un ornement du vers, et comme elles, participe à la création de l'univers sémantique du texte. Elle est d'ailleurs souvent liée à des figures rhétoriques qui jouent sur les rapports entre le son et le sens, comme la dérivation, l'équivoque, déjà citées, ou la paronomase qui, par le biais de leur ressemblance phonique, associe sémantiquement des termes *a priori* sans lien comme dans ces vers de Tristan Corbière :

> Sommeil! ...
> Rôdeur du boulevard extérieur! Proxénète!
> Pays où le muet se réveille prophète!
> Césure du vers long, et Rime du poète!
>
> *(Litanie du sommeil.)*

Nous nous attacherons surtout ici aux difficultés que présentent certaines rimes, dont la rareté conduit à l'apparition de couples inévitables, avec toutes les conséquences qui en découlent en ce qui concerne les associations sémantiques.

Songeons aux listes de rimes de Hugo [cf. Renouvier, 1932] *Erasme/marasme*, *goître/cloître/croître*, *vicaire/équerre/Beaucaire/urticaire*, *crépuscule/tentacule/accule*. Et si les couples *abîme et cime*, *fond et plafond*, *sombre et ombre*... sont chez lui si fréquents, la raison n'en incombe-t-elle pas à la rime ?

Certes, la rime est une contrainte. A moins de consulter un dictionnaire de rimes, qui ferait rimer *arbre*, qui n'admet comme compagnon que *marbre* [Martinon, 1962], et *ombre* qui, en dehors de *sombre*, *nombre* (*dénombre*, etc.), et *décombres* (*encombre*, etc.), n'admet que *concombre* (!), *scombre* et *hombre* ! Mais par là même, elle assure le succès de certains couples, ou stimule l'imagination. « Au secours des rimes impossibles » (tel est le titre d'un article de Michel Laclos dans *Le Figaro* du 18 août 1980 qui prouve l'intérêt dont elles sont encore l'objet), on pourra toujours utiliser un nom propre qui introduit dans le poème l'exotisme ou l'aventure :

> Je m'embusque et je tue ainsi qu'un trabucaire.
> Mon oncle fut Nemrod; je suis Robert Macaire
> Et je traite Paris comme il traita Le Caire.
>
> (Hugo, ébauche des *Châtiments*.)

Non moins important que cette fonction poïétique est le rôle (esthésique) que jouent enfin les rimes dans les phénomènes d'attente et de résolution qui sont sans nul doute un des facteurs importants du plaisir poétique (Kibedi Varga) : « Une propriété fondamentale de la rime sur le plan esthétique est que, le système obligeant tous les vers à rimer, tout premier vers d'une association rimique donnée apporte un son « à faire rimer » ou rime d'attente dont on attend l'équivalent, la réponse, rime-écho. » [B. de Cornulier, à paraître]. C'est par conséquent un des facteurs de la progression du poème qui soutient l'intérêt du lecteur dans cet effet de suspension toujours renouvelé.

3. LES RÉCURRENCES LIBRES

Parallèlement à ces récurrences codées dans notre versification, rimes et assonances de fin de vers, on rencontre également des récurrences libres. Certaines se définissent à partir des récurrences codées, assurant ainsi l'intermédiaire entre celles-ci et les répétitions entièrement libres.

3.1. Certaines récurrences sont, en effet, définies sur des fins de groupes et des places métriques comme le début du vers ou la césure, et imitent les rimes et assonances. Comme celles-ci, elles constituent donc des couplages entre mètre et sons qui peuvent entraîner des associations sémantiques. Toujours définies sur le modèle de la rime, c'est par le terme de rimes qu'elles sont désignées. On distingue ainsi :

a / En début de vers :

• Les **rimes annexes** ou **enchaînées,** encore appelées **virelai** : la (ou les) dernière(s) syllabe(s) de la rime est (sont) reprise(s) au début du vers suivant :

> Trop durement mon cueur souspire;
> Pire mal sent que desconfort;
> Confort le fait; plus n'a nul fort.

(Traictie de l'Art de Retoricque.)

C'est un type de rime qui a été fréquemment utilisé par Aragon, si bien qu'on l'appelle souvent rime aragonesque :

Mon esprit épris du départ
Dans un rayon soudain se perd
Perpétué par la cadence

(Pour Demain.)

• Les **rimes** dites **fratrisées** : elles reprennent entièrement le mot qui apparaît à la fin du vers :

En désespoir mon cuer se mire;
Mire je n'ay si non la mort :
Mort voudroie estre sans support

(Traictie de l'Art de Retoricque.)

b / En fin de vers :

Les **rimes couronnées** : la syllabe qui fait la rime est répétée deux fois à la fin du vers :

Moy, malheureux, qui suis de complains plains,
Confit en deuil et en ordure dure,
Et pou ou neant, les maulx dont suis plains plains
Et voy en moy toute laidure dure.

(Pierre Fabri, *Le grand et vrai art de pleine rhétorique.*)

c / A la césure :

• Les **rimes batelées** : la fin du vers rime avec la césure du vers suivant :

Nobles mignons, courtisans plains d'honneur,
Salut, bonheur, santé et bonne vie!

(Jean Marot.)

• Les **rimes brisées** ou **renforcées** (constituant les **vers léonins**) : les césures riment entre elles :

Tu, ayans completz ans où vieillesse passe aage,
Tes termes desplaisans ne te monstrent pas saige.

(Guillaume Crétin.)

Les rimes batelées et brisées peuvent évidemment se combiner :

Chevaulx, harnois, ont cousté maintz tournois,
Dont les Galois sont fort mélancoliques;
Pour vos reliques et gorres diaboliques
Par voyages obliques se dressent jour et nuit...

Tous ces procédés qui sont méthodiquement utilisés dans la poésie des grands rhétoriqueurs ne seront plus à l'époque classique utilisés que dans des genres mineurs, des jeux poétiques. Ils seront à nouveau en honneur, à partir de la deuxième moitié du XIXe siècle, et utilisés dans diverses stratégies (construction du vers, virtuosité, jeux phoniques, etc.) :

Parce qu'un de tes pins s'abat au vent gothique
La forêt fuit au loin comme une armée antique
Dont les lances ô pins s'agitaient au tournant
Les villages éteints méditent maintenant.

(Apollinaire, *Le vent nocturne.*)

3.2. A côté des récurrences semi-codées, définies sur des positions métriques, existent toutes celles qui ne sont couplées ni avec une syllabe accentuée ni avec une place dans le vers particulière. On les regroupe sous le terme d'**allitérations.**

Ces allitérations définissent des schémas [cf. Grammont, 1937], comme [m] [r], et [a] dans ce vers de *La Jeune Captive* de Chénier :

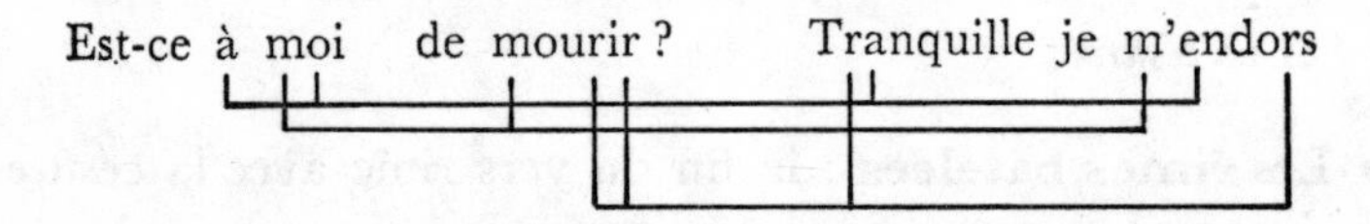

Ces schémas, avant toute mise en relation avec des effets sémantiques, ont un double rôle. D'une part, ils participent à l'harmonie du vers, par la seule vertu de la répétition, des balancements, symétries et contrastes qui peuvent lui être associés [cf. les parallélismes de Jakobson, 1963-1973 et Ruwet, 1972] :

Comment souffrirons-nous...
Que le jour recommence, et que le jour finisse,
Sans que jamais Titus puisse voir Bérénice,
Sans que de tout le jour je puisse voir Titus ?

(Racine, *Bérénice.*)

D'autre part, ils concourent à l'organisation du vers et ont ainsi un pouvoir architectonique non négligeable [cf. Meschonnic, 1977]. Nous en prendrons pour exemple ces deux strophes de *Dans le cimetière de...* de Hugo :

> La foule des vivants rit et suit sa folie,
> Tantôt pour son plaisir, tantôt pour son tourment;
> Mais par les morts muets, par les morts qu'on oublie,
> Moi, rêveur, je me sens regardé fixement.
>
> Ils savent que je suis l'homme des solitudes,
> Le promeneur pensif sous les arbres épais,
> L'esprit qui trouve, ayant ses douleurs pour études,
> Au seuil de tout le trouble, au fond de tout la paix!

Si on y relève des assonances entre césures *(trouve, trouble)* ou entre césures et fins de vers *(folie, plaisir)*, il est clair qu'il ne s'agit pas du tout, comme dans les extraits de Grands Rhétoriqueurs cités, de récurrences semi-codées : elles ne sont pas isolées mais s'intègrent dans des répétitions qui jouent sur un ou plusieurs vers :

> v*i*vants - r*i*t - su*i*t - fol*i*e
> | **tr***ou*ve - d*ou*leurs
> | **t***ou*t - **tr***ou*ble - **t***ou*t

Les unes et les autres servent à construire le vers, en assurant l'unité des hémistiches :

> Ils *s*avent que je *s*uis (4)
> Le *p*romeneur *p*ensif

la transition d'un hémistiche à l'autre :

> *M*ais par les *m*orts *m*uets, par les *m*orts qu'on oublie

ou la cohésion du vers, comme dans :

> La foule des vivants rit et suit sa folie

où la coupe entre les deux parties du vers est affaiblie à la fois par l'absence de marque linguistique, par les répétitions du [i] de part et d'autre de la césure et par le [f] qui commence et clôt le vers. « La construction du vers, d'abord, est la fonction constitutive des sons », écrit Meschonnic [p. 176].

Construction du vers, mais aussi du poème, lorsque les sons unissent plusieurs vers :

> Flagornerie, faucon, fornication foutaise
> Mais fesse et flûte aussi

(Denis Roche, *Après Saint-Just, les F.*)

On a ici l'utilisation moderne de la rime senée des Grands Rhétoriqueurs où tous les mots du vers commencent par la même lettre que le mot à la rime :

> François, faitiz, francz, fors, fermes au fait
> Fins, frais, de fer, féroces, sans frayeur.

(Jean Lemaire de Belges, *Eloge des François.*)

Dans le sonnet en *x* de Mallarmé :

> Mais proche la croisée au nord vacante, un or
> Agonise selon peut-être le décor
> Des licornes ruant du feu contre une nixe

les sons tels [k], [o], [r], [i], [ks] sont même répétés à travers tout le texte selon un agencement en miroir. Comme le suggère d'ailleurs ce dernier exemple, où les symétries de sonorité miment un décor, il est rare que ces échos phoniques n'aient qu'un rôle architectonique et ne se prêtent pas à des effets sémantiques : « Le son donne le relief imaginaire au sens, il est sa dimension sensible, indissociable » (Meschonnic, p. 175). Les sons sont ainsi pris dans des associations sémantiques.

3.3. On entre ici dans le domaine du symbolisme phonétique, du plus étroit, lorsque les sons tentent de reproduire des bruits, au plus flou et subtil.

Les sons en poésie peuvent en premier lieu avoir une fonction mimétique plus ou moins proche de celle des onomatopées, comme dans les comptines :

> Quand il traverse les flaques
> flic, flac, flic, flac
> le sabot de ma jument
> va plus vite que le vent !

ou dans le célèbre vers de Racine :

> Pour qui sont ces serpents qui sifflent sur nos têtes

où la concentration des [s] est un moyen de reproduire le sifflement du serpent.

C'est ce type de phénomène qui a conduit Grammont à accorder aux sons une valeur en soi : ainsi les voyelles aiguës, [i], [y], seraient « naturellement » désignées pour peindre les bruits aigus :

> Quoi bruissait
> Comme des sistres ?
>
> (Verlaine, *Charleroi.*)

les voyelles éclatantes [a] [o] des bruits éclatants, etc.

On prendra garde pour ces associations qui échappent déjà au symbolisme mis en évidence par J.-M. Peterfalvi, à deux points que l'on retiendra de la critique adressée par Delbouille à ce type d'analyse. Pour pouvoir attribuer aux sons une valeur mimétique, il est nécessaire qu'il y ait, comme dans le vers de Racine, une forte concentration d'allitérations, faute de quoi on projette indûment sur eux une valeur qui naît seulement du contexte, comme dans ce vers de Hérédia :

> Avec un cri sinistre, il tournoie, emporté

où Grammont soutenait que le [i] peignait un cri aigu. Il faut également que le contexte se prête à la valeur du son, ce qu'il fait par exemple dans le vers de Racine. Les sons en pareil cas soulignent un bruit plutôt qu'ils ne le créent. Dans :

> Il pleure dans mon cœur
> Comme il pleut sur la ville;
> Quelle est cette langueur
> Qui pénètre mon cœur ?
>
> (Verlaine, « Il pleure dans mon cœur... »

n'est-ce pas la répétition, plus que les sons eux-mêmes, qui suggère le bruit lancinant de la pluie ?

On voit sur cet exemple comment ils peuvent aussi exprimer des sentiments (tristesse, monotonie). On parle en pareil cas de l'expressivité des sons. Ainsi, dans le sonnet de Mallarmé, *Le Vierge, le vivace et le bel aujourd'hui*, la forte concentration de *i*, outre son rôle organisateur, peut suggérer un sentiment de froid et d'engourdissement. Il est évident que cette association est la conséquence des thèmes (*givre*, *glace*, *stérilité*, etc.) qui apparaissent dans le contexte. C'est pourquoi des sons identiques seront, dans des contextes différents, associés à des idées différentes :

— tristesse :

> Qui donc a fait pleurer les saules riverains ?
>
> (Apollinaire, *Mai.*)

— ou excitation :

> Guinguettes claires
> Bières, clameurs,
> Servantes chères
> A tous fumeurs !
>
> (Verlaine, *Paysages belges.*)

Le son ici souligne le sens, il ne le crée pas, ce qu'il fait dans les cas de *chiming* que Leech, reprenant Empson, définit comme « the device of connecting two words by similarity of sound so that you are made to think of their possible connections » [p. 96]. C'est ce que Meschonnic appelle une forme-sens : « Le nombre, la position, l'ordre des composantes de l'écho font cet espace poétique, où les configurations associatives sont une technique d'exploration » [p. 178], et dont Valéry parlait en termes de « poésie pure » ou « poésie absolue » qu'il décrivait comme « une recherche des effets résultant des mots, ou plutôt des relations de résonances des mots entre eux, ce qui suggère en somme une exploration de tout ce domaine de la sensibilité qui est gouverné par le langage *(Calepin d'un poète. Poésie pure)*.

La technique consiste ici non pas à choisir des mots qui donneront au vers une convergence de sons identiques pour reproduire un bruit ou souligner une idée ou un sentiment, mais à coupler des mots *(ombre/sombre, homme-âme)* dont la ressemblance phonétique ouvrira un champ libre aux associations sémantiques : ainsi dans *Le cimetière de...* déjà cité, le rapport *foule/folie*, qui rendra plus frappante l'antithèse avec le *promeneur pensif*.

Ces associations sonores :

> Le temple enseveli divulgue par la bouche
> Sépulcrale d'égout bavant boue et rubis.
>
> (Mallarmé, *Le tombeau de Charles Baudelaire.*)

qui créent entre autres des analogies, des complémentarités ou des oppositions, seront d'autant plus nettes qu'elles seront plus fréquentes, comme ces couples récurrents (*beau*, *aube*, par exemple) chez Hugo que cite Meschonnic, ou qu'elles seront associées à des figures, telle la métaphore, déjà en elle-même créatrice de sens :

> Et que si l'or sec de l'écorce
>
> (Valéry, *Les grenades.*)

ou à des positions privilégiées du vers, césure/rime :

> O récompense après une pensée
>
> (Valéry, *Le cimetière marin.*)

ou rime/rime :

> Je vois ma femme en esprit. Son regard,
> Comme le tien, aimable bête,
> Profond et froid, coupe et fend comme un dard.
>
> (Baudelaire, *Le chat.*)

Les rimes équivoquées, la paronomase ne sont qu'un cas limite de *chiming*.

Phénomène entièrement libre, aux antipodes de ce symbolisme phonétique étroit de la langue, le *chiming* est ainsi un des points où se manifeste le mieux la divergence entre les points de vue poïétique et esthésique, puisqu'il se relie, ce que les psychanalystes, Freud et Lacan en particulier, n'ont pas manqué d'exploiter, à l'inconscient et à l'histoire individuelle.

Dans tous les cas, il est rare que l'on se limite à accorder aux allitérations un pouvoir de construction et qu'on ne les mette pas en relation avec un sens ou une signification quelconques. La poésie primitive qui n'utilise que des séquences non signifiantes de sons, comme dans ces vers des Yamanas, habitants de la Terre de Feu [Bowra, 1966] :

> Ma-las-ta Xai-na-sa ma-las-ta xai-na-sa

les soutient par le chant ou la danse, et les insère souvent dans le rituel. Le lettrisme pur est resté sans lendemain, en l'absence de telles associations. Seules ont du succès les comptines :

> Mirlababi, surlababo
> Mirliton ribon ribette
> Surlababi mirlababo
> Mirliton ribon ribo
>
> (Victor Hugo, *Mirlababi, surlababo.*)

parce qu'elles sont courtes, et surtout parce qu'elles évoquent l'enfance et le chantonnement des berceuses, et les textes où les séquences de sonorités se mêlent à des mots de la langue :

> lion de nuit é pli
> dépli évri par pli
> débranche si pi sè pli
> firi firi
> i
> gli
> car rond tou son péré...

(Jean Arp, *Firi.*)

Les récurrences phoniques seules, si elles n'ouvrent pas sur le sens, ne constituent pas un poème, car elles vont à l'encontre de la tendance à limiter l'arbitraire, générale chez les hommes, mais que les poètes et les enfants possèdent mieux que tous :

> Le cyclamen de Clamecy
> Qui regrette tant la Savoie,
> Clame par-ci, clame par-là
> De toute sa voix.
> Mais il est sur la bonne voie,
> Le cyclamen reverra la Savoie.

(R. Desnos, *Le cyclamen.*)

Ouvrages de base : Delbouille, 1961; Francès, 1966; Grammont, 1937; Léon, 1971.

Chapitre III

LA LANGUE DE LA POÉSIE

Bien placés bien choisis
Quelques mots font une poésie.
R. Queneau.

0.

Quoi ! mon amour, madame ? A-t-il rien de funeste ?
Est-ce un crime qu'aimer une beauté céleste ?
Et puisque sans colère il est reçu de vous,
En quoi peut-il du ciel mériter le courroux ?
(Racine, *La Thébaïde.*)

N'oublions point ces vers dont les races brillantes
Montrent sur l'Océan des lumières flottantes,
Et sous chaque aviron qui fend les flots mouvants,
Offrent aux nautoniers des phosphores vivants.
(Delille, *Les Trois Règnes.*)

Or ni fériale
ni astrale ! n'est
la brume qu'exhale
ce nocturne effet.
(Rimbaud, « Entends comme brame... »)

Il est clair que personne n'a jamais fait une déclaration d'amour comme Hémon dans *La Thébaïde* de Racine, pas plus au XVIIe siècle qu'aujourd'hui, et il nous faut beaucoup de réflexion pour comprendre que Delille parle, dans les quatre vers que nous avons cités, de la luciole (aussi appelée ver luisant). Quant au texte de Rimbaud, peut-on savoir ce qu'il veut dire exactement ? Il semble bien que la poésie utilise une autre langue que la langue de tous les jours, et ne faudrait-il pas, comme on le fait pour une langue étrangère, traduire la poésie ? Naguère, un colonel à la retraite avait ainsi occupé ses loisirs à traduire en français *Le cimetière marin* de Valéry. Il avait sans doute tort pour la poésie, mais n'exprimait-il pas une réaction normale à l'égard de la langue poétique ? Le poète ne parle pas comme nous.

1. LANGAGE POÉTIQUE ET LANGUE COMMUNE

C'est là un des thèmes les plus constants de la tradition occidentale, d'Aristote aux poètes symbolistes et aux critiques formalistes. L'éducation classique s'articulait en sept arts libéraux, parmi lesquels un premier groupe, le trivium, comprenait la grammaire, la rhétorique et la dialectique. Or la première de ces disciplines, la grammaire, se composait de deux parties, dont la distinction reposait sur le partage entre langue ordinaire et langue de la poésie : d'un côté la « recte loquendi scientia » — correction de l'expression —, et de l'autre l' « enarratio poetarum » — le commentaire des poètes [Quintilien, *Institution oratoire*, I, 4]. Le commentaire des poètes commençait par une explication littérale dont le point de départ était fourni par l'écart entre la langue courante et la langue des poètes : l'écolier écrivait sur deux colonnes, d'un côté le mot poétique d'Homère ou de Virgile, de l'autre le mot courant correspondant [cf. Marrou, 1965]; il devait donc apprendre deux langues et savoir traduire, passer de l'une à l'autre. Du lexique, l'écolier passait à l'étude de la morphologie particulière à la poésie puis à l'étude des tours et des figures. La poésie apparaissait bien comme une seconde langue vivante que l'écolier avait à maîtriser presque en même temps que la première et dont le rôle dans la formation était essentiel : les poètes enseignaient, dans leur langue, la morale et les valeurs sur lesquelles reposait la société; et cela était vrai pour Homère et pour Virgile comme pour la Bible ou le Coran, pour les classiques chinois ou japonais dans les cultures pour lesquelles ils étaient Livres de Fondation.

A plus de deux millénaires de distance, c'est le même partage que les linguistes du Cercle de Prague justifient dans les thèses de 1929 : « Dans son rôle social, il faut distinguer le langage suivant le rapport existant entre lui et la réalité extralinguistique. Il a soit *une fonction de communication*, c'est-à-dire qu'il est dirigé vers le signifié, soit *une fonction poétique*, c'est-à-dire qu'il est dirigé vers le signe lui-même. » La langue poétique est le système dans lequel la fonction poétique est portée à son maximum d'intensité : elle se trouve donc à l'opposé de la langue commune et il est essentiel d'éviter « l'erreur, souvent commise, qui consiste à identifier la langue et la poésie et celle de la communication ». Cette conception de la fonction — et donc de la langue — poétique, développée par les théoriciens russes et pragois et par R. Jakobson en particulier, se fonde sur les trois principes suivants :

1 / Dans la langue fonctionnant sur le mode poétique, l'accent se déplace du message à communiquer au matériau du message, du signifié au signifiant et le discours est structuré par les propriétés phoniques du langage qui s'organisent de façon autonome; les exemples les plus simples de ce fonctionnement sont fournis par les slogans et les séquences rythmées et allitérées des jeux enfantins :

Il est midi.
Qui est-ce qui l'a dit ?
C'est la souris.

Où est-elle ?
Dans la chapelle...

2 / Le principe organisateur de ce fonctionnement se trouve dans le rythme « et au rythme sont étroitement liés les autres éléments phonologiques du vers : la structure mélodique, la répétition des phonèmes et des groupes de phonèmes ». Grâce au rythme, ou plus exactement grâce au rythme mélodique, est posée une équivalence fondamentale entre vers et vers, entre pied et pied, entre syllabe et syllabe, etc. Ce parallélisme phonique induit un parallélisme généralisé qui s'étend aux autres niveaux linguistiques de la poésie : morphologie, syntaxe, sémantique.

3 / « Une propriété spécifique du langage poétique est d'accentuer un élément de conflit et de déformation, le caractère, la tendance et l'échelle de cette déformation étant fort divers. » Il s'agit de la notion d'*étrangeté* dont la source est à trouver dans

l'actualisation de virtualités non utilisées par la langue de communication; l'effet poétique par excellence est de rupture avec le connu et l'habituel, comme il arrive lorsque deux mots proches par le son et éloignés par le sens sont placés dans des positions voisines ou symétriques :

> Nous lézards aimons les Muses
> Et les Muses aiment les Arts
> Avec les Arts on s'amuse
> On muse avec les lézards.
>
> (R. Queneau, *Muses et lézards.*)

Il n'est pas dans notre propos de discuter cette conception de la poésie. Nous présenterons seulement deux remarques : en premier lieu, elle reflète l'état de la poésie européenne au début du XXe siècle — recherches phoniques et effets de rupture caractérisent l'esthétique du symbolisme et du futurisme —, comme la poétique classique tire les leçons d'une pratique traditionnelle. Il suffit de rapprocher les deux conceptions pour comprendre que l'étrangeté et l'écart ne sont pas plus essentiellement poétiques que la tradition et la répétition. En second lieu, le rythme ne nous semble pas être une réalité essentiellement linguistique et il nous semble difficile d'accepter la formule embarrassée et peu convaincante de R. Jakobson : « Le mètre poétique, cependant, a tant de particularités intrinsèquement linguistiques qu'il est plus commode de le décrire d'un point de vue purement linguistique » [Jakobson, 1963, p. 230]. Comme nous l'avons dit plus haut, le rythme n'est pas — pour nous — une réalité d'abord linguistique et la poésie doit plutôt se comprendre comme l'application du mètre sur le langage : autonomie du signifiant et parallélisme ne sont que des aspects et des résultats, parmi d'autres, de cette application.

De toute façon, qu'il s'agisse de deux langues distinctes ou de deux fonctions distinctes et fondamentales du langage, l'intuition commune à ces deux conceptions est celle de deux modes d'expression spécifiques. Nous dirons donc provisoirement que la langue poétique est une langue spéciale, c'est-à-dire « une langue qui n'est employée que par des groupes d'individus placés dans des circonstances spéciales » [Vendryes, *Le langage*, A. Michel, 1950,

p. 299] : la langue juridique, les langues liturgiques et religieuses, les langues littéraires, les argots en sont d'autres. Le langage poétique, comme nous le verrons, est très proche de ces langues spéciales, mais le seul trait qui nous intéresse pour l'instant est la distance qui existe entre langue commune et langue poétique : le latin a longtemps servi en Europe de langue religieuse, de langue littéraire et de langue poétique; dans une large région d'Afrique occidentale, les poètes usent de la langue mandingue même chez les peuples dont elle n'est pas la langue de communication [cf. Finnegan, 1977, p. 234]. Même si la langue poétique se développe à partir du fonds de la langue de communication, elle prend souvent des formes si éloignées qu'elle en devient presque incompréhensible, à cause des nombreuses modifications qu'elle fait subir à la langue commune : c'est le cas de la langue des Scaldes, de la poésie aristocratique polynésienne, de la poésie Aranda (Australie), etc.

Nous choisissons l'exemple de la poésie de cour au Rwanda pour montrer l'ampleur des différences qui peuvent séparer langue commune et langue poétique [Coupez et Kamazi, 1970]. La poésie rwanda se caractérise par les traits suivants : intonation de phrase particulière pour chaque genre poétique; schémas phoniques récurrents portant sur les phonèmes segmentaux, la quantité vocalique et les tons; parallélismes morphosyntaxiques; lexique spécial et archaïque; métaphores et métonymies; allusions plus ou moins énigmatiques. Nous voulons surtout attirer l'attention sur un fonctionnement tout à fait spécifique, les noms propres fictifs. Voici un fragment de poème dynastique :

2. Iy áhagúrukiy impará. Mpagurukiye bóose. Ya Nsamira ya Nyirá-rusáaza, Inyárusáange barasuheerw iyó yeerékej Inyámwaaseka, ab ashékej imáana, ijyá gutsiind Umugeeng ee Nyir-amagana.

Lorsqu'il se met en route vers les antilopes, *Je-me-mets-en-route-vers-tous, fils de Conçois-pour-moi, fils du Vénérable*, à Nyarusange on est anxieux. Lorsqu'il se dirige vers le Lieu-riant, c'est qu'il a eu le sourire des présages, qui vont vaincre l'Acacia appartenant à Maître-de-centaines.

On s'aperçoit aussitôt qu'une interprétation — une traduction en prose — n'est pas de trop : lorsque le roi part en guerre, l'Igisaka tremble; en effet, qu'il vise l'Igisaka ou l'Ubugesera (noms de deux royaumes), il s'est assuré par les présages d'avoir l'appui d'Imana (force surnaturelle). Au début apparaît une métaphore reçue qui transpose le vocabulaire de la guerre en vocabulaire de chasse, puis s'accumulent les noms propres fictifs, noms de personnes ou noms de lieux, fondés sur des procédés de dérivation, de composition ou de transposition et rattachés au nom propre habituel par des jeux de mots. Voici par exemple l'explication d'un nom propre fictif :

Lieu-riant est un « nom propre fictif participant à un double jeu de mots. D'une part, il désigne les abreuvoirs appelés Matwenge (dans l'Urukaryi, alors à la frontière de l'Igisaka), dont le thème — *tmeenge* signifie *le rire*; d'autre part, son radical — *sek* — apparaît dans la locution *avoir le sourire des présages*, c'est-à-dire des présages favorables ».

Certains de ces noms, mis en italique dans la traduction, sont dépourvus de sens précis et servent seulement à donner plus de grandeur à l'expression; mais beaucoup d'autres sont fondés sur des jeux de mots ou des allusions tellement complexes que seul l'auteur était capable de les expliquer : « Après lui, il s'introduit dans l'herméneutique une part de conjecture qui croît vraisemblablement à chaque génération. » La poésie dynastique apparaît comme une majestueuse énigme qui exalte la monarchie : « D'autre part, la prodigieuse obscurité du langage idéalise la qualité fondamentale, l'*ubwenge* (*i.e.* la fourberie), à la maîtrise de laquelle le Tutsi consacre des efforts constants. Celui-ci, enclin à égarer le profane dans un labyrinthe de paroles dont quelques initiés détiennent le fil conducteur, donne tort à qui comprend mal un texte équivoque et admire l'auteur qui se joue de l'auditoire. »

On comprend mieux ainsi ce qu'est, à certains moments, la langue poétique par rapport à la langue commune. Le système de la poésie néo-classique française n'apparaît plus comme isolé et fournit seulement un autre exemple de poésie comme langue spéciale, au sens technique du mot. La poésie néo-classique de 1820 est importante historiquement et en elle-même : historiquement, elle marque en même temps la fin d'une tradition classique modifiée mais en gros respectée et le système auquel se référeront, pour le renverser, les novateurs du XIXe siècle; en elle-même, elle donne un exemple significatif de codification d'une langue poétique absolument séparée de la langue commune, et même de la langue châtiée de la prose [cf. Bruneau, *in* Brunot, 1905-1953, t. XII, p. 2-79]. M.-J. Chénier définissait la poésie par la présence de cinq caractères distinctifs : la mesure, la rime, les inversions, le choix des mots, la profusion des images. Si la mesure et la rime sont des contraintes qui viennent s'imposer de l'extérieur au langage, les autres procédés conduisent à une langue spécifique, qu'il faut apprendre parallèlement à l'autre. L'inversion, comme on le voit chez un Lamartine, bouleverse l'ordre attendu des mots. Le choix des mots oblige à laisser de côté des mots réputés communs et à les remplacer par des mots spéciaux, les mots nobles; il existe de véritables dictionnaires qui donnent la liste des mots nobles et des mots bas, avec toutes les indications nécessaires pour les utiliser à bon escient [Glaive, *n.m.* (glè-ve). Si l'on en excepte quelques phrases consacrées, ce mot semble appartenir au style élevé et particulièrement à la haute poésie. *Syn.* Fer, épée, cimeterre, coutelas, sabre, flamberge (les deux derniers sont familiers). *Epit.* Meurtrier, homicide, inhumain, exterminateur, sanguinaire, étincelant, flamboyant, menaçant, suspendu, acéré, pointu, perçant, tranchant, ensanglanté, rougi de sang, émoussé, tutélaire. *Périphr.* Le tranchant du glaive, la fureur du glaive] [Carpentier, *Gradus français*, 1822].

La périphrase en particulier joue un rôle capital et transforme la lecture d'un poème en une série d'énigmes qu'il faut résoudre; comment savoir par exemple que, dans les vers qui suivent, Lebrun-Pindare décrit le jeu de la toupie, puis le saut à la corde ?

Là, dans sa vitesse immobile,
Le bois semblait dormir, agité par mon bras.
Là, je triplais le cercle agile
Du chanvre envolé sous mes pas.

(Lebrun-Pindare.)

Les figures s'accumulent : comparaisons et métaphores, mais aussi métonymies et synecdoques, personnifications et allégories. Mots et figures sont au service d'une volonté de maximisation de l'écart entre la langue poétique et la langue courante : toute la poésie néo-classique est allégorique, c'est-à-dire qu'elle se donne comme but de construire un monde parallèle au monde réel, monde fictif né d'un second langage qui vient doubler le langage commun. Si nous avons choisi l'exemple de la poésie néo-classique, c'est parce qu'il fait apparaître avec clarté cette conception, que nous devrions essayer de comprendre, malgré l'évolution du goût, à la lumière de l'allégorie qui triomphe au même moment — du XVIe au XVIIIe siècle — dans les arts plastiques : la poésie classique et néo-classique est l'équivalent exact de ce monde d'allégories que l'homme des siècles classiques rencontrait à chaque instant, de l'église au palais, du livre au décor des rues et des entrées triomphales. Des genres poétiques comme l'énigme et la devise montrent bien le lien qui existe entre allégorie poétique et allégorie plastique, entre poétique et iconologie [cf. Panofsky, *Essais d'Iconologie*, 1967].

Il semble donc bien que la langue poétique s'oppose à la langue commune comme le décor baroque s'oppose au cadre de la vie courante; en dehors des contraintes métriques et rythmiques qu'elle s'impose, la langue poétique est bien une langue spéciale. Elle l'est encore par un trait proprement linguistique : si on laisse de côté l'inversion, la langue de la poésie se distingue le plus souvent de la langue commune plus par son lexique et, en partie, sa morphologie (cf. par exemple les noms propres fictifs en rwanda), que par sa phonologie ou sa syntaxe. La plupart des langues spéciales ne se distinguent des langues communes que par leur lexique et fonctionnent en langues parasites. On comprend ainsi que la poésie puisse être rapprochée de l'argot : comme l'argot, elle comprend un vocabulaire technique et elle constitue un symbole social d'appartenance à une institution, l'institution poétique, qui, comme toute institution sociale, a tendance à vivre de façon en partie autonome [cf. P. Guiraud, *L'argot*, PUF, 1956]. Et la comparaison avec l'argot permet de comprendre pourquoi l'hermétisme est une tentation récurrente dans l'histoire de la poésie : langue spéciale, l'argot est en même temps utilisé à des fins cryptiques, comme les langues spéciales de la religion ou de la médecine. C'est donc un trait normal des langues spéciales — et de la poésie — de tendre vers le statut de langue secrète, mais ce ne peut en aucun cas en être un trait définitoire ou essentiel. Comme l'argot s'étend des formes cryptiques du javanais ou du loucherbem au langage argotique populaire, la poésie va de la langue courante aux formes d'expression les plus hermétiques.

2. LA VIE DES LANGUES

Et pourtant, est-on sûr qu'il existe quelque chose comme une langue commune, qui serait la seule langue d'une nation ou de quelque autre communauté que ce soit ? C'est, on le sait, l'hypothèse qui, implicitement ou explicitement, a guidé la linguistique contemporaine depuis Saussure : l'évolution même des linguistiques structurales puis génératives a conduit à remettre en cause cette hypothèse : comme l'avaient reconnu les linguistes de la fin du siècle dernier, il n'y a pas *une* langue, mais les communautés humaines connaissent en général une grande diversité linguistique. Pour la faire apparaître, il est commode d'opposer deux types de communautés : la tribu ou le village rural d'un côté, la nation moderne de l'autre. La tribu ou la communauté rurale restreinte, relativement isolées du monde extérieur, sont caractérisées par une grande homogénéité linguistique, même si certains groupes à l'intérieur de la communauté (groupes d'âge, sexe, métiers) utilisent des formes particulières. La nation en revanche présente une extrême diversité linguistique : elle possède la plupart du temps une langue commune, qui se définit par la normalisation, c'est-à-dire la codification d'une variété dont les traits, réputés corrects, sont diffusés et imposés par l'éducation, l'écriture, le prestige, etc. Nous avons utilisé le mot de variété, qui nous semble le plus neutre, pour décrire tout parler qui se rattache, génétiquement et/ou structuralement, à une langue de référence donnée. La communauté nationale s'organise selon deux axes de variation linguistiques, la variation géographique et la variation sociale. Du côté de la variation géographique, on parlera de dialectes, familles de parlers se rattachant en gros à un ancêtre commun possédant une constellation de traits analogues (dialecte picard, dialecte normand, dialecte alsacien); en France, lorsqu'il s'agit de parlers romans utilisés par des locuteurs bilingues, on parlera de patois. Il peut d'ailleurs y avoir dans une communauté nationale d'autres langues ou des variétés d'autres langues que la langue commune : pensons à la langue d'oc, au breton ou au basque en France. Du côté de la variation sociale, on distinguera toutes sortes de variétés que l'on peut classer selon des paramètres tels que l'âge, le sexe, le statut ou la classe, les institutions, les métiers et professions, les groupes et associations. La notion essentielle est ici celle de communauté linguistique, qui n'est qu'un aspect de la réalité plus large que couvre la communauté symbolique [cf. Molino, 1981] : il s'agit d'un groupe qui constitue un champ de communication et d'interaction défini, possédant des formes et des valeurs culturelles communes et se reconnaissant une identité propre, qui peut se fonder sur des caractères biologiques, historiques ou culturels, et s'exprime généralement par l'existence d'un nom et de traditions spécifiques. Le parler de la communauté s'insère dans un ensemble de pratiques symboliques qui lui donnent seules tout son sens. Dans la nation, c'est une multiplicité de communautés qui s'imbriquent, coexistent et se distribuent hiérarchiquement selon leur taille et selon leur prestige. En effet, les parlers sont toujours affectés, du côté des locuteurs aussi bien que du côté des membres d'autres communautés, d'une valeur : tel parler est distingué, tel autre est vulgaire, plébéien, commun, etc. En simplifiant beaucoup des situations complexes, et à titre d'exemple, on peut présenter l'esquisse suivante de la hiérarchie des parlers selon la taille et le prestige : au-dessus de la langue standard, langue commune normalisée, on trouve la langue littéraire et, dans certains cas, une langue religieuse plus ou moins tabou; au-dessous de la langue normalisée à valeur nationale, se trouvent des parlers standards provinciaux, parlés par les classes moyennes de chaque région plus ou moins largement définie, puis les parlers populaires locaux, enfin les langues spéciales et les argots qui viennent interférer avec la hiérarchie nationale, régionale et sociale.

Les poètes constituent une communauté symbolique dans la société, ou plutôt une hiérarchie complexe de communautés. Notons au passage que seule l'étude de ces microcommunautés donne un sens à la notion, si vague la plupart du temps, de sociologie de la poésie. Mais nous voulons plutôt souligner un trait de fonctionnement du discours poétique qui est lié à l'existence de ces multiples communautés : de même que toute communauté se fonde sur un système à deux dimensions, l'appartenance et l'extériorité, qui se manifeste dans l'opposition nous/eux, de même chaque communauté de poètes se fonde sur l'opposition nous/eux entre communautés de poètes. Une conséquence directe de cette situation se voit dans ce que nous appellerons la conscience des « convenances » poétiques (qui correspond en grande partie à l'aptum de la rhétorique) : pour les poètes qui appartiennent à une communauté, il existe un type de discours qui est considéré comme poétique et tous les autres apparaissent nécessairement comme provinciaux, recherchés, naïfs, archaïques, etc. La hiérarchie des acceptations et des refus s'organise dans les mêmes formes que la hiérarchie des parlers. Et cette organisation hiérarchique se retrouve dans la pratique et le goût poétiques de toute communauté symbolique : car la poésie est un type de production symbolique qui est présente dans bien d'autres communautés que les communautés de poètes.

Mais, bien sûr, la langue des communautés de poètes n'est pas la langue de la poésie : c'est que la poésie est institution. Le phénomène essentiel est ici que toute variété linguistique peut être, dans le cadre d'une communauté, utilisée dans la production poétique : il y a, en France, des poésies relevant d'autres langues que le français (langue d'oc, breton, etc.), des poésies écrites dans la langue littéraire, en français normalisé, en français populaire, en dialecte, en diverses langues spéciales, en argot, etc. Il y a des poèmes écrits en plusieurs langues : pensons au descorts de Raimbaud de Vaqueiras *Eras quau vei verdejar*, écrit en provençal, italien, français, gascon et portugais. Le poète peut jouer sur la rupture et l'opposition entre variétés ou registres. Les variétés linguistiques sont à chaque instant susceptibles d'être reprises dans la construction poétique; elles constituent donc un facteur déterminant de la variété des langues poétiques.

A côté des variétés linguistiques, qui concernent les groupes, on distinguera les registres, qui concernent les individus et les usages du langage. En tant que locuteur appartenant à une communauté, un individu s'exprime normalement dans un idiolecte qui est un élément du dialecte, de la langue de la communauté. Mais ce locuteur a à sa disposition un répertoire, un ensemble de registres de discours qui varient selon le contexte d'usage — objet du discours —, selon le médium utilisé — écrit ou oral, prose ou vers (qui se confondra souvent avec une langue spéciale ou une variété reconnue) —, selon les relations humaines et sociales qui existent entre les interlocuteurs [cf. sur ce point les analyses éclairantes de Halliday, 1978]. On comprend mieux, à la lumière de ces multiples registres, la diversité des registres poétiques dont use un créateur : la poésie calembour peut coexister avec la grande poésie, et les adresses en vers :

Mademoiselle Labonté
Un nom pareil en ce temps-ci
Veut qu'on soit au ciel remonté
Non! rue, 8, Stanislas, Nancy.

(Mallarmé.)

avec *Hérodiade*. Notre goût poétique est souvent aussi étroit que notre sentiment linguistique.

3. DIVERSITÉ DES LANGAGES POÉTIQUES

Pas plus qu'il n'y a une seule langue dans une nation, il n'y a une seule langue poétique et la diversité des langages poétiques est bien aussi grande que la diversité linguistique. La meilleure preuve, c'est, nous l'avons vu, qu'à toute variété linguistique il est possible de faire correspondre un genre, un style poétique qui s'expriment dans cette même variété; à ce compte, la poésie serait plus variée encore que le langage non poétique, ou plutôt la diversité poétique se mêle inextricablement à la multiplicité des formes linguistiques. Essayons de reconnaître un peu la géographie complexe de l'expression poétique.

Nous commencerons par opposer deux grandes familles de langue poétique : l'une qui se rapproche de la langue courante — qu'il s'agisse de la langue châtiée ou de la langue populaire — et qui, à la limite, se confond presque avec elle; l'autre qui cherche à s'en éloigner de plus en plus, par quelque procédé que ce soit. Appelons la première la poésie légère, qui prend essentiellement deux formes, selon que la langue utilisée est soit la norme (langue châtiée ou langue littéraire) soit la langue populaire moyenne. Il convient d'insister sur cette poésie, car notre goût, formé par le romantisme et le symbolisme, la récuse et l'ignore, ce qui ne l'empêche pas d'exister et de constituer une authentique veine poétique; elle correspond à peu près aux vers qu'a rassemblés W. H. Auden dans sa fameuse anthologie *Oxford Book of Light*

Verse (1938). Il s'agit d'une poésie qui refuse les grands mouvements de la rhétorique et du sentiment, et qui évite l'obscurité; dans une langue accessible à tous — ou à un large groupe —, elle parle de ce qui intéresse chacun, les jeux, l'amour, la mort et tous les sujets d'une conversation sans prétention. Sur le versant de la langue châtiée, nous avons la tradition des *Epîtres* et des *Satires* d'Horace, reprise par Boileau ou Voltaire, les vers de circonstance — baptêmes, noces, enterrements, inaugurations, etc. —, les fables, contes et récits narrés dans une langue simple, la poésie lyrique directe de M. Desbordes-Valmore et de Carco, les pastiches, parodies et burlesques de Scarron à G. Fourest, le vers de la comédie...

Tu vis des jours paisiblement,
De pauvres jours qui se ressemblent,
Et, sous les feuillages qui tremblent,
Tu poursuis un rêve qui meurt.

(F. Carco, *Retraite.*)

J'étais sur le balcon à travailler au frais,
Lorsque je vis passer sous les arbres d'auprès
Un jeune homme bien fait, qui, rencontrant ma vue,
D'une humble révérence aussitôt me salue;
Moi, pour ne point manquer à la civilité,
Je fis la révérence aussi de mon côté.

(Molière, *L'Ecole des Femmes.*)

Sur le versant de la langue populaire, il y a toutes les formes de poésie populaire — souvent rédigées par des semi-lettrés qui écrivent dans une langue à mi-chemin entre langue châtiée et langue populaire commune et plus ou moins artificielle, comme celle de bien des chanteurs-compositeurs d'aujourd'hui —, ballades, chansons d'amour et de travail, légendes religieuses ou laïques, poésie-gazette des histoires de crime et de désastre, poésies-jeux, etc. Nous en citerons un exemple, emprunté à la poésie-gazette :

Dès ma plus tendre jeunesse,
J'ai pris un mauvais chemin
En méprisant père et mère
Comme un vrai libertin.
En avançant dedans l'âge
Je viens toujours plus méchant;
Je m'abandonne au pillage
Ce qui cause mon tourment.

(Complainte du chaudronnier.)

Poésie légère d'un côté, haute poésie de l'autre : cette opposition correspond non seulement à une caractérisation linguistique et thématique, mais aussi à un mode général d'organisation des phénomènes symboliques. Dans les champs culturels les plus divers, art, religion, philosophie ou science s'opposent une version ésotérique, élitiste — qu'elle soit qualifiée par ailleurs d'académique ou d'avant-garde — et une version commune, populaire, commerciale. Cette observation est essentielle, car elle permet de montrer que l'opposition n'est pas entre poésie et non-poésie, poètes et peuple prosaïque, artistes et philistins ou masse inculte, mais entre deux sortes d'art et deux sortes de poésie : la construction poétique est une faculté inscrite dans l'homme dès les premières formes de la parole et du chant.

Cette dichotomie est, bien sûr, assez grossière. On peut la compléter en distinguant, avec Ejxenbaum, trois grands types de poésie : la poésie rhétorique, la poésie-conversation et la poésie mélodique (poésie-chant) [Ejxenbaum; cf. Erlich, 1969, p. 222]. La poésie-conversation correspond à une partie de la poésie légère, l'autre partie relevant de la poésie-chant. Certains textes de Musset présentent un exemple assez pur de poésie-conversation, proche de l'épître que nous avons mentionnée plus haut :

Depuis qu'Adam, le cruel homme,
A perdu son fameux jardin,
Où sa femme, autour d'une pomme,
Gambadait sans vertugadin,
Je ne crois pas que sur la terre
Il soit un lieu d'arbres planté
Plus célébré, plus visité,
Mieux fait, plus joli, mieux hanté,
Mieux exercé dans l'art de plaire,
Plus examiné, plus vanté,
Plus décrit, plus lu, plus chanté,
Que l'ennuyeux parc de Versailles.

(Musset, *Sur Trois Marches de marbre rose.*)

Cette poésie-conversation tient ainsi le milieu entre la grande poésie, qui utilise systématiquement les recours de la rhétorique — grands genres traditionnels comme la tragédie, l'épopée ou l'ode — et la poésie-chant, dans laquelle les formes se distribuent entre les deux pôles constitués par la chanson proche des productions populaires et par les compositions à dominante musicale savamment orchestrée de Mallarmé, Valéry ou René Ghil :

> Sang des dièses! le Vague en musique ruisselle
> Sourde ou mélodieuse, et pleure, universelle,
> Dans le spasme ou le spleen l'angoisse de mamelle,
> Quand hurle l'aise large ou meugle d'inespoir.
>
> (R. Ghil, *Dies Irae*.)

Cette typologie à trois termes nous conduit à la doctrine des trois styles qui a servi de cadre à la création littéraire occidentale pendant près de deux mille ans. Née dans les milieux péripatéticiens des besoins de la critique et de l'histoire littéraires, elle était rapidement devenue à Rome, au Moyen Age puis à l'époque classique, une des articulations essentielles de l'élocution : « On divise le style en simple, en médiocre et en excellent » [Bary, *La Rhétorique française*, 1665, p. 292]. Le style apparaît ici comme la contrepartie exacte de ce qu'est, dans le champ linguistique, l'ensemble des variétés et des registres et le mot a deux acceptions qui renvoient aux deux dimensions de variation, collective et individuelle, du langage; d'un côté les styles constituent des systèmes codés d'expression et de l'autre ils correspondent aux façons particulières que chaque individu choisit pour s'exprimer : « [Le Style] c'est la manière dont chacun s'exprime. C'est pourquoi il y a autant de styles que de personnages qui écrivent. Néanmoins comme ces diverses manières de s'exprimer se réduisent à trois sortes de manières, l'une simple, l'autre un peu plus élevée, et la troisième grande et sublime, il y a aussi par rapport à ces manières trois sortes de styles, le simple, le médiocre, le sublime » [Richelet, *Dictionnaire*, Lyon, 1728]. Les trois styles se définissent par un ensemble de traits caractéristiques qui leur donnent une couleur propre; ce sont surtout le vocabulaire et les figures employés qui les distinguent. Ces éléments sont au service de l'analogie du style, c'est-à-dire de l'unité du ton et de la couleur, qui est mise en relation en même temps avec les différents niveaux de langage, avec les sujets traités, enfin avec les différents genres littéraires et en particulier les différents genres poétiques. Chaque style a donc sa cohérence propre, son homogénéité et l'une des grandes règles de l'élocution classique est d'éviter les ruptures ou le mélange des tons. Et lorsque le romantisme ou des poésies plus récentes cultivent le mélange des styles, c'est toujours par rapport à une conscience commune de l'existence de ces différents styles, de leurs heurts et de leurs contrastes possibles :

> Mais pour noyer changées en poux
> Ces tisseuses têtues qui sans cesse interrogent
> Il se maria comme un doge
> Aux cris d'une sirène moderne sans époux
>
> Gonfle-toi vers la nuit O Mer Les yeux des squales
> Jusqu'à l'aube ont guetté de loin avidement
> Des cadavres de jours rongés par les étoiles
> Parmi le bruit des flots et les derniers serments
>
> (Apollinaire, *L'émigrant de Landor Road.*)

Cet impératif d'unité a un fondement esthétique, mais aussi linguistique et social; les trois styles se fondent, selon la théorie classique, sur les différents niveaux de langue utilisés dans la société : « Le langage a différents tons, celui du bas peuple, celui du peuple cultivé, celui du monde et de la cour, qu'on appelle familier noble, celui de la haute éloquence, celui de la poésie héroïque... » [Marmontel, 1879, I, p. 149]. Une première interprétation des trois styles est alors possible : le style simple (ou bas) correspond au langage du bas peuple, le style médiocre au langage du peuple cultivé, le style sublime au langage des rois et princes, héros de tragédies ou d'épopées. Et, par l'intermédiaire de la théorie de la mimésis — la poésie représente des hommes en action —, on passe de cette correspondance linguistique à une correspondance qui lie le style aux sujets traités et aux genres poétiques : le style bas, mis dans la bouche du bas peuple, conviendra aux genres « comiques », chanson et poésie bachique, pastiche et parodie, poésie burlesque; le style médiocre ou tempéré, mis dans la bouche du peuple cultivé, conviendra aux genres mineurs de la poésie, idylle, élégie, rondeau, ballade ou madrigal; enfin le style sublime ne convient qu'aux grands genres, la tragédie, l'épopée, auxquels on peut ajouter l'ode héroïque. D'autres interprétations des trois styles sont possibles, pour éviter en particulier de reconnaître le style bas comme style littéraire : si l'on exclut le parler du bas peuple, style simple et style médiocre se partageront alors le terrain de l'expression non héroïque, le style simple cherchant simplement à enseigner et le style modéré à plaire grâce à des ornements choisis.

Ce qu'il faut retenir, c'est l'existence d'une organisation hiérarchique des styles, mise en correspondance avec une organisation hiérarchique des genres poétiques. Le plan de l'*Art poétique* de Boileau met bien en valeur cette hiérarchie : au sommet les grands genres, genres dramatiques et épopée, qui occupent le chant III; au-dessous les genres mineurs, idylle, élégie, ode, sonnet, épigramme, rondeau, ballade, madrigal, satire, vaudeville et chanson, traités dans le chant II. Mais la conscience des styles est beaucoup plus fine encore que ne le laisserait prévoir la doctrine des trois styles; à chaque genre poétique correspond un style particulier : le style de l'églogue doit être « un tissu d'images familières, mais choisies, c'est-à-dire ou gracieuses ou touchantes [...] Non seulement il est dans la nature que le style des bergers soit figuré, mais il est contre toute vraisemblance qu'il ne le soit pas [...] » [Marmontel, 1879, II, p. 16]. L'élégie, pour le même Marmontel, accepte tous les styles : « Grave ou légère, tendre ou badine, passionnée ou tranquille, riante ou plaintive à son gré, il n'est point de ton, depuis l'héroïque jusqu'au familier, qu'il ne lui soit permis de prendre » [II, p. 23]. Mais son ton naturel est la plainte noble qu'illustre l'*Elégie pour M. Fouquet* de la Fontaine :

> Remplissez l'air de cris en vos grottes profondes;
> Pleurez, Nymphes de Vaux, faites croître vos ondes,
> Et que l'Anqueuil enflé ravage les trésors
> Dont les regards de Flore ont embelli ses bords.

Ainsi s'est constitué un ample répertoire de styles, que la doctrine classique désigne par un adjectif : style brillant, gracieux, familier, ampoulé, diffus, élégant, décousu, dur, passionné, aride, raboteux, etc.

On dira sans doute que cette codification hiérarchique des genres et des styles a disparu en même temps que la poésie classique et néo-classique. Nous voudrions suggérer qu'il n'en est rien, car d'autres codifications se sont instituées, aussi contraignantes sans doute que les précédentes même si elles ne sont pas dogmatiquement imposées : le champ de la poésie, comme celui de la littérature et de toutes les œuvres et conduites symboliques, ne peut exister sans des bornes et des partages qui le jalonnent, fondés sur des différences de style et sur des hiérarchies de valeurs. Il suffit de feuilleter un recueil dans lequel est rassemblée la production poétique d'une année *(L'année poétique)* ou d'une période pour se rendre compte que voisinent aujourd'hui dans la production poétique des styles inconciliables, que tout oppose : la versification (on passe du vers néo-classique au pur vers graphique), la syntaxe (présence d'inversions), le vocabulaire (le lexique réservé à la poésie, *chair*, *antre*, etc., succède au vocabulaire de la technique ou au vocabulaire de la langue verte), sans même parler des thèmes abordés. Si l'on regarde par exemple l'*Anthologie* de Walch et Bonetti et en particulier les tomes IV et V publiés par P. Bonetti en 1959, on s'aperçoit que la hiérarchie par genres de l'époque classique a été remplacée par une hiérarchie historique : la production poétique contemporaine offre tous les recours, tous les registres de la poésie utilisés depuis deux siècles. A cet étagement selon les différentes étapes de l'histoire s'associe une hiérarchie de valeurs aussi clairement définies qu'à l'époque classique : les grands genres sont les genres d'avant-garde et les tenants de chaque style sont bien persuadés que ce qu'écrivent les autres dans un autre style n'est pas de la poésie.

4. DIALECTIQUE DES LANGAGES

Les variétés linguistiques et les styles poétiques ne doivent pas seulement être considérés isolément, il faut les envisager selon les relations multiples qu'ils contractent entre eux. Deux grands types de relations sont à étudier : d'un côté, les relations qui existent, à un moment donné de l'évolution culturelle, entre les diverses variétés linguistiques, entre les divers styles poétiques puis entre variétés linguistiques et styles poétiques; d'un autre côté, les relations qui existent entre un état donné de la langue et de la poésie et leurs états antérieurs. Mais on voit l'ampleur des problèmes et il n'est pas question de donner ne serait-ce qu'un échantillon de chacune de ces voies d'analyse. Nous voudrions seulement insister sur le point suivant : un style poétique ne doit pas être vu isolément, il doit être confronté à l'ensemble des autres styles, poétiques et non poétiques, coexistants ou antérieurs, et à l'ensemble des variétés linguistiques, contemporaines ou passées. Un style poétique (comme d'ailleurs une variété linguistique) n'est pas une liste de mots et de tournures, c'est le résultat de choix et d'exclusions entre les divers styles disponibles, entre les différents niveaux de langue, choix qui mettent en même temps en jeu une conception des relations entre langue poétique et langue commune.

Nous voudrions, dans cette perspective, envisager un mouvement de longue durée qui a exercé une grande influence sur la poésie française depuis le XVIIe siècle : le mouvement qui a tendu à rapprocher la langue de la poésie — la grande poésie — de la langue commune ou langue populaire (langue châtiée). Malherbe déjà affirmait que la poésie ne doit pas parler une langue spéciale, mais la langue qu'utilisent à la fois le peuple et la cour. Le style de la poésie doit avoir les mêmes qualités que la prose : clarté, propriété des mots, simplicité. La poésie, qui est à la prose ce que la danse est à la marche, ne fait qu'ajouter des contraintes spécifiques — rime, correspondance des unités métriques (hémistiche, vers) et des unités grammaticales (groupe, proposition) — à la nature commune du vers et de la prose. On comprend alors pourquoi, dès la fin du XVIIe siècle, sera soulignée la contradiction implicite entre ces deux doctrines; les contraintes spécifiques de la poésie sont non seulement inutiles, mais dangereuses, car elles ne peuvent que nuire aux qualités de l'expression, qui sont partout les mêmes : « On sait assez que ce qui fait la beauté naturelle du discours, c'est la justesse et la vivacité des pensées, l'heureux choix des expressions, etc. A tout cela l'art de la poésie ajoute, sans aucune nécessité, sans aucun besoin pris dans la chose, les rimes et les mesures. Les voilà devenues une beauté par le seul caprice de l'art, et par la seule raison qu'elles gêneront le poète, et que l'on sera bien aise de voir comment il s'en tirera » [Fontenelle, *Réflexions sur la poétique*, LXXI].

On aboutit ainsi à la formule tranchante de D'Alembert : « Voici, ce me semble, la loi rigoureuse, mais juste, que notre siècle impose aux poètes : il ne reconnaît plus pour bon en vers que ce qu'il trouverait excellent en prose » [*Réflexions sur la Poésie*]. Sans doute ces conclusions sont-elles celles d'un siècle réputé pour n'avoir pas aimé la poésie. Il suffit pourtant de constater que ce mouvement de la poésie vers la langue de la prose se poursuivra au cours du XIXe siècle pour comprendre qu'il ne s'agissait pas d'un simple incident de parcours. V. Hugo se vantera d'avoir fait disparaître le vocabulaire néo-classique réservé à la poésie et mis à sa place le mot propre :

> ... le mot propre, ce rustre,
> N'était que caporal, je l'ai fait colonel.
>
> (V. Hugo, *Réponse à un acte d'accusation.*)

Les rejets, les enjambements, la dislocation de l'alexandrin sont au service de la même stratégie, qui conduira à un type de poésie « prosaïque »; il s'agit en même temps d'une époque — 1885 à 1920 à peu près — et d'une famille de poètes — qui coexiste avec d'autres, bien éloignées, comme les Symbolistes, de la langue commune. C'est là, d'une certaine façon, un des aboutissements logiques de la poésie française et de son histoire : le vers de Laforgue — qui sert de modèle à la poésie-conversation de T. S. Eliot —, les œuvres des fantaisistes (Carco ou Derême), de Cendrars et Larbaud, des poètes de l'Abbaye ou des unanimistes, l'œuvre de Reverdy correspondent à ce point de tangence entre la langue de la poésie et la langue de tous les jours :

> Dans la véranda de sa case, à Brazzaville,
> Par un torride clair de lune congolais
> Un sous-administrateur des colonies
> Feuillette les poésies d'Alfred de Musset.
>
> (J.-M. Levet, *Afrique occidentale.*)

Mais ceux-là mêmes qui voulaient rapprocher la langue poétique de la langue courante, comme le proclame Hugo dans *Réponse à un acte d'accusation*, ne peuvent s'empêcher de recréer une différence avec cette même langue courante : « Il fallait d'abord colorer la langue, il fallait lui faire reprendre du corps et de la saveur; il a donc été bon de la mélanger selon certaines doses avec la fange féconde des vieux mots du XVIe siècle. Les contraires se corrigent souvent l'un par l'autre. Nous ne pensons pas qu'on ait eu tort de faire infuser Ronsard dans cet idiome affadi par Dorat » [Hugo, *Littérature et philosophie mêlées*]. Les poètes romantiques renouent ainsi avec les recherches de la Pléiade, qui voulaient enrichir la langue par l'appel aux mots grecs, latins ou dialectaux. Il semble donc que lorsque la langue poétique se confond dans un certain domaine avec la langue courante, elle recrée ailleurs sa différence. Sainte-Beuve avait admirablement senti cette dialectique : « C'est précisément à mesure que la poésie se rapproche davantage de la vie réelle et des choses d'ici-bas, qu'elle doit se surveiller avec plus de rigueur, se souvenir plus fermement de ses religieux préceptes, et, tout en absorbant le vrai sans scrupule et sans fausse honte, se poser à elle-même, aux limites de l'art, une sauvegarde incorruptible contre le prosaïque et le trivial » [*Pensées de Joseph Delorme*, VII].

La différence peut être créée par toutes sortes de procédés : rime bien sûr, mais aussi rythme, simple marque graphique (c'est le cas de nombreuses formes de « vers libres »), rapprochements lexicaux et sémantiques inattendus, images et métaphores. C'est cette dernière stratégie que proposait Desnos : « Unir le langage populaire, le plus populaire, à une atmosphère inexprimable, à une imagerie aiguë; annexer des domaines qui, même de nos jours, paraissent incompatibles avec le satané « langage noble » qui renaît sans cesse des langues arrachées du cerbère galeux qui défend l'entrée du domaine poétique... » [Desnos, *Domaine public*, 1953, p. 403].

Ce mouvement vers la langue de tous les jours n'est qu'une direction parmi d'autres de la poésie et l'on pourrait lui opposer, à juste titre, une tendance absolument contraire : la tendance à reconstituer une langue spéciale, dont le lexique et la syntaxe cherchent à se distinguer de la langue commune. La langue des grands genres de la poésie néo-classique au XVIIIe siècle, la langue des poètes symbolistes sont deux exemples caractéristiques de ce mouvement d'éloignement et de distance prise par rapport à la langue ordinaire. Mais, nous venons de le voir, la poésie en langue commune construit aussi sa différence : au lieu de la situer dans le vocabulaire, elle la situera dans d'autres régions de l'expression. La différence poétique joue à cache-cache : elle est tantôt ici, tantôt là et lorsqu'elle disparaît quelque part, elle réapparaît ailleurs. Il ne s'agit donc pas d'opposer une langue ou des langues poétiques aux dialectes et aux registres de la langue commune, mais de voir dans la poésie une série de stratégies qui jouent sur tout le clavier des langages et des styles. C'est ce que nous allons maintenant analyser en ce qui concerne le problème plus restreint du lexique poétique.

5. LE LEXIQUE DES POÈTES

De quels mots se servent les poètes ? La réponse la plus simple est, à première vue, de les compter, et nous rencontrons sur notre chemin la statistique lexicale. Plutôt que de nous laisser impressionner par sa technicité souvent trompeuse, restons-en à l'étape la plus sûre et la plus traditionnelle, l'étude des index — relevés des mots d'une œuvre —, des concordances — relevés des mots en contextes —, et des fréquences d'utilisation des mots [cf. Guiraud, 1954]. Si l'on dispose d'un index et d'une liste de fréquences des mots utilisés dans un recueil de poésie, il est certain que la seule lecture des mots les plus fréquents nous semble parlante et riche d'enseignements, surtout si on compare ces listes à une liste témoin des fréquences du lexique français en général [cf. par exemple Van Der Beke, 1929, *French Word Book*, New York].

On peut ainsi définir les mots clés, « mots dont la fréquence s'écarte de la normale ». Voici la liste des mots clés de Baudelaire [Guiraud, 1954, p. 64 et 100-102] :

Mots clefs des Fleurs du Mal

Ange	Parfum	Douleur
Cœur	Plein	Nuit
Comme	Noir	Sang
Beauté	Soleil	Fleur
Œil	Ame	Profond
Ciel	Amour	Beau
Sein	Doux	Corps

Mots thèmes et mots clefs nous permettent de retrouver des éléments qui, intuitivement, nous apparaissent au cœur du vocabulaire mais aussi de la thématique et de l'imaginaire du poète. Sous cette forme de listes, ils ne nous donnent que des faits bruts, qui ont besoin, pour être utilement interprétés, d'être rapprochés de phénomènes concernant les autres niveaux d'organisation du texte; ce ne sont guère que des briques isolées, avec lesquelles on ne saurait guère que fabriquer des pastiches approximatifs :

Mon Ange, sur ton sein profond comme la nuit...

(Baudelaire ?)

Les mots les plus fréquents couvrent une part importante du texte : les 50 mots les plus fréquents dans l'œuvre poétique de Saint-John Perse couvrent 19 % du texte, les 100 premiers en couvrent 25 %, les 400 premiers près de la moitié [cf. Van Rutten, 1975]. Et cela précisément parce qu'ils reviennent sans cesse : ils sont de l'ordre de la répétition. Mais on peut aussi s'intéresser aux mots rares, ceux qui n'apparaissent qu'une fois dans un texte (les hapax) : 60 à 70 % des mots du lexique de Saint-John Perse n'apparaissent qu'une fois dans son œuvre, pourcentage très élevé qui souligne un trait caractéristique de son style. A côté de la concentration autour d'un noyau obsessionnel de mots qui se répètent, il y a la dispersion d'un vocabulaire rare, riche et recherché : vocabulaire technique de la mer, de la botanique ou de l'ornithologie, mots grecs, termes espagnols ou mots français pris dans leur sens étymologique.

On voit ici apparaître la dialectique fondamentale de l'écart et de la répétition : le mot rare, qui n'apparaît qu'une fois, précisément parce qu'il ressort d'autant plus sur le fond des mots qui se répètent, peut acquérir autant d'importance que le mot le plus fréquent. Si je feuillette une concordance des *Fleurs du Mal*, et que je regarde la liste des mots de fréquence 1, certains s'imposent à moi avec autant de force que les plus fréquents, à cause de leur place dans le vers, de leur voisinage, du champ sémantique dont ils font partie, etc.; je trouve par exemple les mots : albatros *(Prennent des albatros, vastes oiseaux des mers)*, amazone *(Roulons-y sans remords, amazone inhumaine)*, amoureusement *(Sur ton ventre orgueilleux danse amoureusement)*, aube *(Quand chez les débauchés l'aube blanche et vermeille)*, etc. [R. T. Cargo, *A Concordance to Baudelaire's Les Fleurs du Mal*, Chapel Hill, 1965].

La statistique lexicale peut aussi étudier la fréquence des différentes parties du discours : « La langue de Perse contient

48,9 % de noms, 14,2 % d'adjectifs, 20,9 % de verbes. Or les moyennes pour la langue littéraire française des XIXe et XXe siècles sont respectivement de 40,5 %, 15,6 %, 25,5 % » [Van Rutten, 1975, p. 79-80]. Simple constat brut, mais qui soulève un problème intéressant, et que l'on aurait difficilement aperçu autrement : comment une poésie qui se veut poésie de l'action et du mouvement contient-elle relativement aussi peu de verbes et autant de noms ? On se rend compte cependant que la statistique lexicale ne nous donne que des résultats bruts, qui ne prennent tout leur sens que dans une perspective de comparaison avec d'autres résultats (autres textes, norme d'un style ou d'une époque) et lorsque l'observation confirme une hypothèse ou pose une question, révèle un problème. Les fréquences ne sont qu'un indice assez grossier qui nous renvoie aux valeurs des mots et aux conditions de leur emploi.

6. LE CHOIX DES MOTS

Pour la tradition rhétorique, le choix des mots repose sur un principe clair; langue spéciale, la langue poétique se distingue de la langue commune par son lexique (lorsque nous parlerons de langue poétique en général, nous ferons allusion à une langue poétique moyenne, à la koïné poétique classique et néo-classique plus particulièrement) : « Comme un des principaux objets de la poésie est de flatter agréablement l'oreille, on doit en bannir tous les mots qui pourraient choquer, ou parce qu'ils seraient trop rudes, ou parce qu'ils auraient quelque conformité de son avec d'autres mots déjà employés dans le même vers » [Restaut, *Principes de la Grammaire française*, Paris, 1773, p. 465]. Il convient donc de les remplacer par des mots proprement poétiques, dont les traités de versification donnaient encore récemment la liste : *forfait*, *coursier*, *azur*, *mortels*, *courroux*, *hymen*, *fer*, *onde*, *nef*, *cité*, *trépas*... [cf. Martinon, 1962]. Il serait instructif de rechercher dans la poésie du XIXe et du XXe siècle les traces de ce vocabulaire, beaucoup plus résistant qu'on ne le croit : les Symbolistes l'utilisent avec prédilection, Apollinaire parle d'onde *(dans une onde mauvaise à boire)* et sa jolie rousse a des cheveux d'or; le mot de *songe*, à peu près impossible à employer hors de la poésie, se retrouve chez A. Frénaud *(Et les mots qui nous cachent / un songe ancien)*, A. de Richaud *(Et moi je rampe tout nu dans un songe de mort)* ou P. Eluard *(Vos danses sont le gouffre effrayant de mes songes)*; le même P. Eluard n'hésite pas à parler de glaive *(Et les mains de désir qu'elle impose à son glaive...)* — qui est un des substituts poétiques les plus marqués et les plus traditionnels —, ainsi que de coursier *(Les regards dans les rênes du coursier)*. La « révolution » romantique n'avait pas réussi à se débarrasser de ce vocabulaire autant qu'elle le prétendait. Plus de cent ans après la *Réponse à un acte d'accusation* de V. Hugo,

> Je mis un bonnet rouge au vieux dictionnaire.
> Plus de mot sénateur! Plus de mot roturier!

il y a encore des poètes qui emploient les mots spéciaux de la langue poétique et d'autres qui créent ou recréent un nouveau lexique particulier, comme l'ont fait les Parnassiens ou les Symbolistes. C'est donc que la spécificité du lexique poétique répond à un besoin profond, qui se manifeste même lorsque n'existe plus de langue poétique codée qui s'impose de l'extérieur aux poètes. Disons plus exactement, pour tenir compte des poètes qui tentent de rapprocher leur vocabulaire du lexique commun, que le lexique du poète est le résultat d'un choix; ce choix naît d'une attention aux mots, d'une conscience des mots et de leurs valeurs qui sont peut-être un des traits caractéristiques du poète. C'est le poète W. H. Auden qui disait à peu près : « Pourquoi voulez-vous écrire de la poésie ? Si le jeune homme répond : « J'ai des choses importantes à dire », alors ce n'est pas un poète. S'il répond : « J'aime à tourner autour des mots, en écoutant ce qu'ils disent », alors peut-être sera-t-il un jour poète. »

Chaque mot a une physionomie propre, une aura, qui naît de la superposition et de l'imbrication de valeurs multiples. Essayons de distinguer quelques-unes de ces valeurs en nous adressant, comme point de départ, aux analyses d'Aristote, dans sa *Poétique* et dans sa *Rhétorique*. Pour Aristote et pour la tradition rhétorique, les mots se disposent sur deux axes, l'axe de la motivation et l'axe de l'usage. Nous n'envisagerons ici que le second, puisque le premier a été étudié dans le chapitre précédent.

Les mots se disposent sur le deuxième axe selon leur fréquence d'usage et leur relation à la langue courante. Nous avons, à une extrémité, les noms courants, c'est-à-dire ceux qui appartiennent à l'usage de tout le monde [Aristote, *Poétique*, 57 *b*]; de l'autre côté, nous avons les mots « étrangers », c'est-à-dire étrangers à l'usage commun. Il y a deux façons d'obtenir des mots « étrangers » : on peut soit modifier les mots courants soit aller les chercher en dehors de l'usage. Dans le premier cas, on obtient un mot « étranger » en allongeant, raccourcissant un mot courant ou en modifiant les règles normales de formation des mots. Ces modifications, qui avaient un sens précis dans la poésie grecque, n'en ont plus guère pour nous; on peut en trouver un équivalent approximatif dans les phénomènes de synérèse et de diérèse qui permettent par exemple de compter « Ionienne » pour deux, trois ou quatre syllabes (sans tenir compte du e muet). Les mêmes procédés sont repris et transposés, dans la poésie contemporaine, par Queneau lorsqu'il joue sur le double clavier que lui offrent le décompte traditionnel des syllabes et la prononciation courante ou populaire :

> Y en a qui maigricent sulla terre
> Du vente du coq-six ou des jnous.
>
> (R. Queneau, *Maigrir.*)

Dans le second cas, le mot « étranger » sera soit un emprunt à une autre langue, soit une création lexicale, soit la reprise d'un vieux mot sorti de l'usage (archaïsme), soit la modification du sens d'un mot (trope). Pour avoir un panorama plus complet des diverses possibilités, il convient d'ajouter les mots empruntés aux diverses variétés et registres de la langue (mots dialectaux, langues spéciales, etc.), ainsi que les noms propres. Nous obtenons ainsi quatre grandes sources de mots « étrangers » : 1. Les créations lexicales (néologismes); 2. Les mots appartenant à une autre langue ou aux diverses variétés de la langue considérée, en synchronisme ou en diachronie (archaïsmes); 3. Les tropes; 4. Les noms propres.

Ces quatre procédés sont du ressort de la créativité linguistique prise dans son sens le plus large et correspondent à des stratégies d'enrichissement et de renouvellement qui prennent place aussi bien dans la langue courante que dans la langue de la poésie : le néologisme, l'emprunt, les changements de sens; nous mettons à part les noms propres, dont le rôle est sous-estimé dans les deux systèmes linguistiques. Tous ces procédés se définissent à partir de la koïné poétique d'une époque et d'un genre donnés, qui peut elle-même être plus ou moins éloignée de la langue courante. Nous avons déjà parlé des emprunts aux différentes variétés de la langue et nous étudierons les tropes — changements de sens — au chapitre suivant. Disons donc seulement quelques mots des néologismes et des noms propres. Le néologisme ne joue pas un grand rôle dans la poésie française. Il est vrai que les poètes de la Pléiade s'inspirant de l'exemple donné par le grec ancien en ont recommandé l'usage et même défini les règles de formation avec beaucoup de précision. Ces mots nouveaux, nécessaires pour donner richesse et dignité au français, doivent être faits sur des modèles phoniques et morphologiques vivants : « D'avantage je te veux bien encourager de prendre la sage hardiesse d'inventer des vocables nouveaux, pourvu qu'ils soient moulés et façonnés sur un patron déjà reçu du peuple » [Ronsard, deuxième préface à la *Franciade*]. Si l'on ne forge pas le mot de toutes pièces, on peut en former à partir de mots déjà existants. Ronsard conseille ainsi de former, à partir de *pays*, *eau* et *feu*, les verbes *païser*, *eüer*, *foüer*, à partir de *verve* les mots *verver* et *vervement*. Enfin, il est possible de procéder par composition : « L'ingénieux escriteur aura non seulement liberté, mais aussi méritera louange, de se mettre en devoir de peupler le royaume françois de tels suppléments que sont les mots de légitime composition, comme Atlas *porteciel*, l'air *portenue*, l'aquilon *portefroid*, et d'autres telles compositions artificielles » [J. Peletier, *Art poétique*, I, VIII]. On forme ainsi des composés par apposition de deux adjectifs (doux-grief), deux substantifs (homme-chien), un verbe à l'impératif suivi d'un complément (chasse-peine, dérobe-fleur), etc. [cf. Brunot, 1905-1953, t. II]. C'est surtout dans la grande poésie — odes pindariques ou épopée — que se recommande l'emploi de ces néologismes :

> Ceux qui suants par la carrière
> Laissaient leurs compagnons derrière,
> Et ceux qui de gants em-plombés
> Meurtrissaient la chair ampoulée,
> Et ceux qui par la lutte huilée
> Contre-tenaient les bras courbés.

(Ronsard, *A Madame Marguerite*.)

La mode du néologisme dans les cercles modernistes et précieux du début du XVIIIe siècle ne touche guère la poésie, pas plus que la néologie lexicale de la deuxième moitié du siècle, mouvement philosophique et linguistique. Aussi la poésie romantique est-elle plutôt en retrait et V. Hugo s'oppose par exemple à la création de mots nouveaux : « Nous ne sachons pas qu'on ait fait des mots nouveaux. Or ce sont les mots nouveaux, les mots inventés, les mots faits artificiellement qui détruisent le tissu d'une langue. On s'en est gardé » [V. Hugo, *Littérature et philosophie mêlées*]. C'est seulement avec le Symbolisme et les mouvements poétiques postérieurs que l'on utilisera à nouveau des néologismes, le plus souvent par dérivation :

> Dans l'Inoï sonnez ! ô voix enlangouries !
>
> (R. Ghil, *Dies Irae...*)

> Enlinceulant ta rose horloge d'existence...
>
> (Saint-Pol Roux, *Message aux poètes adolescents.*)

Quant au néologisme absolu, il apparaît plus récemment encore de façon systématique, soit dans le registre satirique-sardonique d'un Queneau soit dans la tentative qu'opère H. Michaux de faire concurrence au monde lui-même en créant un nouveau vocabulaire parallèlement à l'évocation d'un monde de l'ailleurs. Dans tous ces cas, la néologie se fait en respectant les règles de formation des mots sur lesquelles insistait Ronsard; du point de vue phonologique comme du point de vue morphologique, ce sont des mots bien formés de la langue française, souvent présentés dans un jeu de variations autour d'un thème qui les naturalise, pris qu'ils sont dans des phrases et au milieu de mots parfaitement normaux :

> Le toit de l'alégresse
> Est tissé de safran
> Le toit de la tristesse
> Est tissé de tatran
> Le sol de l'allégresse
> Est tissé de toutance
> Le sol de la tristesse
> Est tissé de souffrance.
>
> (R. Queneau, *Les Murs.*)

Les noms propres peuvent soit appartenir à la communauté linguistique, soit être des noms appartenant à d'autres cultures : leur utilisation est alors du domaine de l'emprunt; un nom propre anglais — personne ou lieu — a le même effet de dépaysement qu'un mot anglais :

> Je n'ai vu Manchester que d'un coin de Salford...
>
> (Verlaine, *Souvenir de Manchester.*)

Mais, outre cet effet commun à tous les emprunts étrangers, les noms propres ont une utilisation poétique différente : ils sont porteurs d'associations complexes qui les rattachent à des récits, historiques ou mythiques, et évoquent plus ou moins allusivement des héros, des lieux appartenant à des cultures éloignées dans le temps et dans l'espace, mais qui ont une présomption d'existence, réelle ou légendaire. Certains noms sont ainsi, par eux-mêmes, dotés d'une charge poétique spécifique :

> La Fable offre à l'esprit mille agréments divers.
> Là tous les noms heureux semblent nés pour les vers,
> Ulysse, Agamemnon, Oreste, Idoménée,
> Hélène, Ménélas, Paris, Hector, Enée...
>
> (Boileau, *Art poétique.*)

Les deux traits que nous venons de mentionner — présomption d'existence et associations complexes — expliquent la facilité avec laquelle les noms propres peuvent être naturalisés, c'est-à-dire motivés. Il s'agit là d'une version particulière du cratylisme, qui cherche à donner un sens au nom propre en le rattachant au caractère de la personne ou du lieu désignés; l'étymologie d'un nom propre, vraie ou supposée, les différentes combinaisons des sens qui le composent (anagrammes) permettent de construire le poème autour d'un réseau de doubles ou triples sens et d'allusions : Marie = aimer, Laure et laurier, Olive, nom propre = olive, fruit de l'olivier, etc. Dans la poésie du XVIe siècle, cette figure étymologique joue un rôle essentiel, dans l'*Olive* de Du Bellay ou la *Délie* de M. Scève [cf. F. Rigolot, *Poétique et Onomastique*, Droz, 1977]. Indépendamment de ces correspondances étymologiques, les noms propres, isolés ou enchaînés en litanie, gardent leur valeur d'étrangeté, soulignée la plupart du temps par les caractéristiques particulières de leurs systèmes phonologiques par rapport au système de la langue courante :

> Salut, reine des nuits, blanche sœur d'Apollon.
> Salut, Trivie, Hécate, ou Cynthie, ou Lucine,
> Lune, Phoebé, Diane, Artémis, ou Dictyme.
>
> (A. Chénier, *Diane*.)

> Il se fit tout à coup le plus profond silence
> Quand Georgina Smolen se leva pour chanter.
>
> (Musset, *Le Saule*.)

Mais n'oublions pas qu'une même forme et un même procédé peuvent être utilisés dans des buts très divers et avec des effets différents, comme nous le verrons par exemple à propos de la répétition du nom propre (cf. chap. V).

Le poète a ainsi à sa disposition, d'un côté les mots banals du langage courant et de l'autre côté les divers procédés d'enrichissement et d'écart par rapport à la langue commune. Les choix du poète peuvent s'analyser de deux points de vue complémentaires : le point de vue quantitatif et le point de vue qualitatif. Dans tous les cas, ils sont au service d'une même volonté d'altérité. Et cette altérité peut se constituer de deux façons : dans les sociétés où une évolution lente s'accompagne du maintien d'une tradition, elle est codée dans une langue spéciale, langue des scaldes scandinaves ou des poètes néo-classiques; dans les sociétés à évolution rapide qui privilégient le progrès et l'innovation, elle se construit au jour le jour, dans le mouvement d'usure et de rénovation, de vieillissement et de création qui caractérise tous les produits des sociétés contemporaines. L'utilisation même des mots de tous les jours dans le poème se soumet à cette dialectique de l'altérité, car le poème le plus banal, le plus simple dans son langage est d'une part pris dans le moule du mètre et du rythme et, par ailleurs, faisant partie de l'institution poésie ne prend son sens que par rapport à tous les autres poèmes.

Les deux dimensions que nous avons analysées à la suite de la rhétorique traditionnelle — motivation et usage commun — contribuent à donner à chaque mot ce que l'on appelle souvent une connotation mais que nous préférons appeler une aura lexicale. Mais cette aura se manifeste dans d'autres dimensions encore.

C'est qu'il faut considérer un mot comme le point de départ d'une série indéfinie, de plusieurs séries même de renvois à d'autres mots; au lieu de voir le mot comme constitué d'un signifiant et d'un signifié que l'on pourrait décrire grâce à la combinaison de traits sémantiques minimaux, il faut le considérer de la façon dont Peirce analyse les signes : tout signifiant renvoie à une infinité d'autres signifiants, ses interprétants [cf. Granger, *Essai d'une philosophie du style*, Colin, 1968). Ces interprétants concernent tous les aspects du mot, aussi bien ses aspects phoniques et morphologiques que sémantiques : un mot est associé à une série de mots qui lui ressemblent du point de vue phonique, qui lui sont liés par des relations morphologiques (dérivation, composition), sémantiques (relations diverses d'antonymie, synonymie, etc.) et syntaxiques (relations du type Nom sujet et Verbe possédant des traits sémantiques correspondants : l'oiseau chante). Ils concernent aussi d'autres aspects qui n'entrent pas dans ces grandes catégories linguistiques : motivation et usage, que nous avons déjà vus, mais aussi des valeurs qui se rattachent en même temps au mot et à ce qu'il désigne (du genre bon/mauvais, beau/laid, etc.).

On met en évidence l'importance de ces interprétants dans les expériences d'association verbale, au cours desquelles on enregistre les mots-réponses d'un sujet auquel est proposé un mot-stimulus [cf. Jodelet, L'association verbale, in *Traité de Psychologie expérimentale*, t. VIII, Paris, 1965; H. G. Clark, Word Associations and Linguistic Theory, in J. Lyons, *New Horizons in Linguistics*, Penguin, 1970]. Les associations se classent en deux espèces : paradigmatiques si le mot-réponse est de la même catégorie grammaticale que le mot-stimulus et syntagmatiques dans les autres cas. Les réponses paradigmatiques s'expliquent en partie par les règles suivantes : la règle du contraste minimal, du genre long-court, bon-mauvais, etc.; la règle d'addition et de suppression de traits sémantiques, selon laquelle la réponse correspond à des termes situés plus bas ou plus haut que le mot-stimulus dans la hiérarchie des genres et espèces (à partir du mot *fruit* on obtiendra *pomme* et à partir de *pomme* on obtiendra *fruit* respectivement). Les réponses syntagmatiques s'organisent selon les deux règles suivantes : la règle de réalisation des traits de sélection, qui conduit à des réponses dans lesquelles apparaît un mot correspondant aux traits de sélection externe du stimulus (*jeune* donnera les réponses *garçon*, *fille*, *homme*, *femme* qui possèdent les traits + Nom + Animé) ; la règle de complétion des expressions idiomatiques, selon laquelle un stimulus provoque comme réponse un mot qui lui est conventionnellement associé dans une expression idiomatique (du genre *vivre → sa vie*). Les conditions mêmes de ces expériences en limitent la portée et il est nécessaire d'en rapprocher la technique psychanalytique des associations libres, dans lesquelles se manifeste un tout autre type de renvois associés aux mots : ici jouent beaucoup plus librement les ressemblances phoniques, les jeux de mots et les enchaînements sémantiques les plus personnels. On voit l'intérêt d'une analyse qui chercherait systématiquement les chaînes d'association présentes dans l'œuvre des poètes. Donnons un exemple à partir du livre célèbre de C. Spurgeon consacré à l'étude des images chez Shakespeare [Spurgeon, 1935] :

> Les cœurs
> Qui rampaient à mes talons, et dont je comblais
> Les souhaits, fondent maintenant, répandent leurs caresses
> Sur César florissant...
>
> (Shakespeare, *Antoine et Cléopâtre.*)

On voit apparaître dans ce passage une étroite liaison entre les termes *ramper à mes talons (spanieled me at heels)* et *fondre (discandy)* : dans plusieurs autres textes revient cette association de chiens et de sucreries qui fondent utilisée pour évoquer les flatteurs. L'important n'est pas tant de savoir quelle est la source de l'image dans la réalité que de voir se manifester une chaîne récurrente d'association qui unit les flatteurs, les chiens qui rampent aux pieds et des sucreries en train de fondre. Une autre chaîne associative fréquente dans l'œuvre de Shakespeare unit les termes suivants : *mort*, *canon*, *globe de l'œil*, *orbite*, *larmes*, *voûte*, *matrice* et à nouveau *la mort*. Les techniques poétiques du surréalisme ne font que laisser librement jouer ces associations sous forme d'écriture automatique. « Automatisme psychique pur, par lequel on se propose d'exprimer, soit verbalement, soit par écrit, soit de toute autre manière le fonctionnement réel de la pensée. Dictée de la pensée, en l'absence de tout contrôle exercé par la raison, en dehors de toute préoccupation esthétique ou morale » [A. Breton, *Manifeste du Surréalisme*].

7. LES MOTS EN CONTEXTE

Les mots ne sont donc que des points d'accumulation auxquels se rattache une aura d'associations, phoniques, grammaticales, lexicales ou sémantiques. Mais cette série ouverte de renvois virtuels vient s'insérer dans un groupe de mots, dans une phrase, dans un texte. On comprend alors — en théorie du moins — ce qui se passe : les diverses associations virtuelles que porte chaque mot sont mises en présence, les mots réagissent l'un sur l'autre; et le sens de la phrase naît de ces actions et réactions continuelles entre les mots qui se suivent, d'autant plus fortes que les mots sont plus proches ou situés à des places marquées du schéma métrique. Dans la langue courante, la plupart des chaînes d'associations virtuelles sont bloquées par les rapports déterminés qu'un mot contracte avec les mots qui l'entourent immédiatement. Des exemples extrêmes de ce blocage sont fournis par ce qui passe dans les expressions idiomatiques et dans les collocations. Dans les expressions idiomatiques, du genre *œil-de-bœuf* ou *belle-de-nuit*, les deux termes liés ont perdu leur autonomie et ne forment plus qu'une seule entité sémantique irréductible aux signifiés originaux des deux termes; le même phénomène, à un moindre degré, caractérise les collocations, que l'on peut définir de la façon suivante : ce sont des liens entre deux termes tels que si l'un apparaît dans un discours, il y a une grande probabilité que l'autre apparaisse aussi et les deux termes constituent ainsi des associations conventionnelles, comme *des temps difficiles*, *une décision énergique*, *sens interdit*, *marcher droit*. Ces collocations sont très fortement liées dans l'esprit des locuteurs, comme nous l'avons signalé à propos des expériences d'association verbale et par ailleurs ont un équivalent exact dans la langue poétique : expressions du style formulaire, périphrases codées, clichés et chevilles de la poésie classique (les *feux de l'amour*, un *spectacle funeste*, etc.). Mais il faut bien prendre garde que ce blocage des renvois virtuels propres à chaque terme donne en contrepartie une aura nouvelle à la collocation : employée ou reconnue comme telle, elle est dotée d'une évidence, d'une force, d'une valeur argumentative supérieures à la valeur des mots isolés qui la composent. Le cliché — *long comme un jour sans pain, plus vieux que Mathusalem*, etc. —, aussi usé soit-il, n'est pas l'équivalent diminué d'un superlatif dans les deux exemples cités : il participe d'une naturalisation sémantique comparable à la naturalisation phonique que nous avons déjà rencontrée et joue le même rôle qu'un proverbe ou une citation. Il en est de même pour les collocations poétiques, épithètes ou formules conventionnelles; les vers suivants d'*Athalie* ne sont, d'une certaine façon, qu'une série de formules toutes faites :

> Près de ce champ fatal Jézabel immolée,
> Sous les pieds des chevaux cette reine foulée,
> Dans son sang inhumain les chiens désaltérés,
> Et de son corps hideux les membres déchirés...

Ils n'en ont pas moins une charge poétique comparable à la poésie qui se dégage des grands tableaux du Poussin, faite du recours systématique à un répertoire de formules consciemment organisées — comme le montre par exemple la place des adjectifs en fin d'hémistiche.

Ici apparaît bien le contraste entre les deux stratégies poétiques que nous avons distinguées : en face de la collocation et de la formule, la volonté de la rupture. Il y a en effet un tout autre moyen d'utiliser les idiomes et les collocations, dans la conversation comme en poésie, c'est de les briser. Ce procédé fonctionne dans le registre comique, lorsqu'une expression idiomatique est prise au sens propre : « — J'ai quatre pauvres petits enfants sur les bras. — Mets-les à terre. » [Molière, *Le Médecin malgré lui*], ou dans les fatrasies médiévales. Mais il devient procédé poétique pour créer surprise et étrangeté dans l'œuvre de Guillevic :

> Ici
> Ne repose pas,
> Ici ou là, jamais
> Ne reposera
> Ce qui reste,
> Ce qui restera
> De ces corps-là.

(Guillevic, *Les charniers.*)

Dans la conversation ou dans les discours portant sur un thème bien défini, même si l'on ne s'exprime pas seulement par expressions idiomatiques et collocations, le contexte au sens large joue un rôle de désambigüation en ce qu'il contribue à faire privilégier telle chaîne associative, tel sens du mot lorsque celui-ci est polysémique ou correspond à plusieurs homonymes; la polysémie n'est en effet, dans notre perspective, qu'un cas particulier dans l'organisation des renvois virtuels d'un mot, et qui se produit lorsque ces renvois correspondent à des chaînes d'association fortement divergentes. Si je parle d'un gisement d'or ou de diamants, j'interprète *gisement* comme synonyme de lieu où se trouve un minerai; si je parle du gisement d'un bateau, je suis sûr qu'il s'agit de l'angle de l'axe du navire et d'une direction donnée; le déterminant du mot a aussitôt levé la polysémie. Si en revanche je lis pour la première fois :

> ... Qui criait monotonement
> Sans que la barre ne varie
> Un inutile gisement
> Nuit, désespoir et pierrerie.
>
> (Mallarmé, « Au seul souci... »)

la polysémie persiste, puisque l'expression *sans que la barre ne varie* me conduit à préférer l'acception nautique, tandis que le mot pierrerie ne me permet pas d'exclure le sens géologique. Comme on a tenté de décrire les traits sémantiques inhérents d'un terme, on a cherché à préciser les caractères sémantiques contextuels qui correspondent aux mots qui lui sont étroitement associés du point de vue syntaxique : le verbe *dire* doit avoir un substantif comme sujet (trait de sous-catégorisation) et ce substantif doit posséder le trait + Humain (trait de sélection). Mais on voit que surgit la même difficulté que pour la description des traits inhérents : sauf précisément dans le cas des collocations, la variété des traits contextuels et leur complexité sont telles que les classifications en restent à un degré de grossièreté qui les rend presque totalement inutilisables. Et là apparaît la leçon linguistique que nous donne le poète : la combinaison des mots repose sur le sentiment subtil de l'aura des termes en présence et des effets produits par leur rencontre, et cela aussi bien dans l'esthétique traditionnelle du codage que dans l'esthétique postromantique ou baroque de la rupture. Dans le premier cas, nous avons la technique de la variation sur un thème imposé; le poète joue sur les collocations acceptées dans le registre poétique qu'il a choisi, mais les soumet à de fines variations. Le topique de la poésie courtoise que l'on résume par la formule « les oiseaux chantent » subira de multiples variations, tirées du lieu, du temps ou de la qualité; voici des variations sur le lieu [Dragonetti, 1960, p. 182] :

les oiseaux chantent... seur la flour
... par le boschage
... par mi la gaudine
... par broelle ramee
... par ces vergiers floris, etc.

L'esthétique baroque ou post-romantique, au lieu de jouer de minimes variations sur des associations codées, privilégie les ruptures entre un mot et les mots qu'il entoure : oxymores de la Renaissance *(les feux glacés, la vivante mort)* que nous retrouverons au chapitre suivant, conceptos et pointes de l'âge baroque où le rapprochement de deux termes fait jaillir un rapport nouveau entre des objets ou des idées, rencontres et métaphores inattendues de la poésie de la fin du XIXe siècle et du XXe siècle. Variation et rupture constituent ainsi les deux pôles entre lesquels s'étendent les possibilités du poète lorsque, en choisissant ses mots, il les combine de façon à tirer le maximum d'effets de l'aura qui est associée à chacun d'eux. Et c'est cette aura, aussi bien que l'utilisation qu'en fait le poète qui permettent de répondre à la question, ou plutôt aux deux questions : existe-t-il des mots poétiques ? Qu'est-ce qui rend un mot poétique ? Aucun mot n'est, en lui-même, poétique et il n'existe pas de recette pour rendre un mot poétique :

Bien placés, bien choisis
Quelques mots font une poésie.

8. CONCLUSION

Essayons pour conclure de nous interroger sur ce qui constitue la langue poétique. Nous avons suggéré que, plus que d'éléments stables, il s'agit de relations complexes que l'on pourrait résumer de la façon suivante : il y a d'un côté la langue courante, autour de laquelle gravitent les diverses variétés linguistiques; d'un autre côté, il y a la tendance récurrente à faire de la langue poétique une langue spéciale, caractérisée surtout par son lexique; il y a enfin la structure métrico-rythmique imposée par le système de versification propre à la langue et à l'époque données. Ou, si l'on veut, la poésie comme discours, la poésie comme argot et la poésie comme chant.

Le facteur décisif, aussi bien du point de vue génétique que du point de vue structurel, est l'organisation métrico-rythmique, à laquelle est étroitement liée l'organisation sonore. Cette importance est soulignée par tous ceux qui font naître la poésie de la musique et du chant. Pour Bowra par exemple, la première forme de poésie est « une sorte de modulation sonore » qui peut ne correspondre à aucun mot de la langue parlée [Bowra, 1966, p. 65]. Quelles que soient les réserves que l'on peut émettre au sujet de cette hypothétique conception évolutionniste, il n'en demeure pas moins que la poésie chantée a souvent recours à des suites de syllabes démunies apparemment de signification et dont la fonction et l'origine peuvent être très diverses : simple support à la modulation, créativité du jeu phonique, allusions à des mots ou à des histoires, sacrées ou laïques, connues par la communauté (ce cas se rencontre par exemple dans certains chants esquimaux; cf. Nattiez, à paraître), etc.; ces suites de syllabes apparaissent, jusqu'à nos jours, dans de nombreux refrains de chansons et de danses : traderidera, dondaine, etc. Cette modulation sonore attire l'attention sur les liens qui existent entre structure métrico-rythmique d'un côté et langue spéciale de l'autre, liens qui eux-mêmes peuvent avoir des origines et des fonctions très différentes : langue des cérémonies religieuses où se mêlent chant et formules spécifiques, formes archaïques maintenues dans le rituel ou les cérémonies, etc. La langue spéciale de la poésie naît elle-même de situations diverses : langue d'une corporation, elle est aussi langue d'une technique et de techniciens, langue instituée qui vit de son propre mouvement parallèlement au mouvement de la langue commune et se fonde sur les mêmes processus d'évolution (emprunt, création, etc.). Ainsi se mettent en place les trois termes entre lesquels s'institue la dialectique du langage poétique : mouvement d'écart et de rapprochement de la langue poétique spéciale par rapport à la langue commune (figures d'écart), contraintes de la structure métrico-rythmique qui impose à la langue de nombreuses modifications (décompte des syllabes, e muet), conflits de l'organisation linguistique et de l'organisation métrico-rythmique (inversions, enjambements, rejets) ou au contraire superposition et convergence des deux organisations (schémas de répétitions et de couplages). Nous envisagerons dans les deux chapitres suivants quelques aspects locaux de cette dialectique.

Chapitre IV

ÉCARTS ET DÉVIATIONS

> « La question, dit Alice, est de savoir si vous avez le pouvoir de faire que les mots signifient autre chose que ce qu'ils veulent dire.
> « La question, riposta Humpty Dumpty, est de savoir qui sera le maître... un point, c'est tout. »
>
> Lewis CARROLL.

1. LA NOTION D'ÉCART

Pour décrire la langue de la poésie dans son fonctionnement local, nous avons à notre disposition deux grandes notions, qui permettent de rendre plus cohérentes les analyses : la notion d'écart et la notion de répétition. Ce sont deux notions qui appartiennent traditionnellement à la rhétorique et à la poétique [cf. Lausberg, 1960, p. 310]. Aujourd'hui encore, l'analyse poétique oscille entre la mise en évidence de l'écart — chez les néo-rhétoriciens ou dans la grammaire générative (pensons à la notion de phrases à demi grammaticales — semi-sentences — ou à la poésie conçue comme jeu sur les traits sémantiques contextuels) — et l'étude des diverses formes de répétition et de parallélisme (cf. les analyses de Jakobson et Ruwet). Nous consacrerons ce chapitre à l'étude des formes d'écart dans la poésie et le chapitre suivant aux phénomènes de répétition. Mais il vaut la peine d'indiquer auparavant en quelques mots l'intérêt méthodologique de ces deux notions. Le langage, système symbolique, ne se définit pas seulement par la structure double du signe, signifiant et signifié, ou, plus exactement, par la notion de renvoi du signifiant à une série indéfinie d'autres signes; il constitue aussi un ensemble de normes, qu'il s'agisse de règles intériorisées ou de contraintes imposées par le groupe. Comme le droit, la morale ou le jugement esthétique, la langue est définie dans le cadre de normes qui se situent entre la parole et la langue ou système [cf. Coseriu, *Teoría del lenguaje y lingüística general*, Madrid, Gredos, 1967]. Toute parole y est, implicitement ou explicitement, mesurée. C'est donc une démarche tout à fait fondée que d'étudier une expression linguistique en la définissant par son écart à la norme. Il ne s'agit pas seulement d'une procédure *ad hoc*, justifiée par l'existence de ce type particulier d'écart qu'est la langue littéraire — et qui lui permettrait ainsi de rappeler à chaque instant qu'elle est littéraire —, mais d'une démarche générale, qui se fonde sur la compétence normative des locuteurs et permet de décrire leurs stratégies linguistiques. Quant à la répétition, elle est la contrepartie de l'écart : tout comportement linguistique, qu'il s'écarte ou non d'une norme, tend à la répétition, parce qu'il applique, modifie ou crée une règle qui peut à chaque instant être réutilisée. Ce qui explique et la fréquence des répétitions dans l'ensemble du comportement humain et le fondement qu'elles offrent à la description de ce comportement : la mise en série, procédure essentielle de l'analyse linguistique, n'a de sens que parce que tout locuteur, toute communauté emploie et réemploie sans cesse les mêmes formes d'expression, traditionnelles ou nouvelles, habituelles ou originales.

On comprend ainsi pourquoi les deux notions d'écart et de répétition se trouvent de façon récurrente chez les théoriciens de la rhétorique et de la poésie sous forme d'une intuition qui prend, selon les époques et les visées de l'analyse, des aspects apparemment très divers mais en réalité fidèles à une même inspiration. Enumérons quelques-uns des termes qui ont été proposés pour décrire la poésie : écart, déviation, impertinence, étrangeté, anomalie, innovation, créativité, mise en évidence (qui correspond approximativement au tchèque *aktualisace* utilisé par les théoriciens de l'Ecole de Prague), etc. Tous ces termes constituent ce que l'on pourrait appeler la famille de l'écart, ne se distinguant que par le point ou la perspective d'application, comme nous allons le voir sur quelques exemples. Dans la rhétorique l'écart est double : il se mesure d'un côté par rapport à la simplicité et de l'autre par rapport au mode neutre de l'expression. L'écart n'apparaît en effet que dans l'élocution, cette partie de la rhétorique qui s'occupe des propriétés locales du discours et des phénomènes en rapport direct avec l'expression linguistique. Appartient de plein droit à l'élocution toute expression qui, en premier lieu, s'écarte de la façon la plus simple et la plus normale de s'exprimer : si, pour désigner la lune j'emploie la périphrase *l'astre des nuits*, je produis un effet particulier sur l'auditeur parce que je n'ai pas employé le terme le plus simple. Par ailleurs, si dans un mouvement de colère, je multiplie les interrogations : *Non, mais, qu'est-ce que tu crois ?...*, je m'écarte cette fois, non de l'usage — puisque tout le monde peut se mettre en colère —, mais de la forme la plus neutre de l'expression, la proposition simple qui constate : *tu as eu tort de faire cela*. Ce sont ces deux écarts qui définissent ce qu'on appelle les figures : « Ce sont les formes, les traits ou les tours plus ou moins remarquables et d'un effet plus ou moins heureux, par lesquels le Discours dans l'expression des idées, des pensées, ou des sentiments, s'éloigne plus ou moins de ce qui en eût été l'expression simple et commune » [Fontanier, p. 279]. Nous retrouvons une perspective sur laquelle nous avons déjà insisté : les figures rhétoriques, comme la langue poétique, sont en grande partie toujours présentes dans la langue et ne font que développer, spécialiser ou transmuer des virtualités qui lui appartiennent en propre.

L'écart est ainsi défini par rapport à une norme statique et considérée comme intangible. Mais on peut aussi le concevoir comme distance ou rupture dans le temps par rapport à une norme qui apparaît comme archaïque : tel est le sens des notions proposées par les théoriciens de l'Ecole formaliste russe ou de l'Ecole de Prague, étrangeté, mise en évidence ou innovation. L'écart peut se définir enfin par rapport au contexte immédiat et nous avons les notions d'impertinence ou d'anomalie sémantiques, d'effet stylistique qui institue une rupture dans le tissu du discours [cf. Riffaterre, *Essais de stylistique structurale*, Flammarion, 1971]. Ecart statique, écart dynamique, écart contextuel : telles sont les trois grandes formes que peut prendre la notion d'écart. Mais il ne suffit pas de proposer une notion pour rendre compte du texte poétique; encore faut-il qu'elle s'accompagne d'outils efficaces qui permettent de le décrire, de mettre en évidence les phénomènes et de les classer.

Dans ce travail de classification, nous avons à notre disposition un outil qui nous servira de guide, le savoir de la rhétorique et de la poétique traditionnelles. Il n'est pas question de reprendre dans leur ensemble les diverses classifications et les diverses figures répertoriées par les traités de rhétorique; en revanche, il est intéressant de s'en inspirer pour essayer de préciser, de délimiter les formes diverses dans lesquelles s'est inscrit le savoir des poètes, des critiques et des lecteurs. La plupart du temps, les figures sont définies de façon floue et approximative, un peu comme les catégories de la grammaire traditionnelle. Et les raisons de ce flou sont les mêmes dans les deux cas : les critères utilisés pour définir une figure sont hétérogènes et ne sont jamais séparés ni appliqués avec rigueur. Il n'empêche que ces figures, apprises à l'école, faisaient partie de la culture et de la compétence poétique des créateurs : rien d'étonnant à ce qu'elles se retrouvent dans les textes. Le travail du linguiste est alors clair : il lui appartient de reprendre les figures en essayant de les définir avec la précision explicite qui devrait être celle de la linguistique d'aujourd'hui. Nous ne retiendrons des figures, diversement classées par la tradition, que les catégories suivantes : laissant de côté les figures de diction (figures phoniques) qui ont été envisagées au chapitre II, nous conserverons les figures de construction, un certain nombre de figures classées parmi les figures de style et de pensée, et enfin les tropes.

Ajoutons que la rhétorique traditionnelle intéresse le linguiste d'un autre point de vue encore. Pour classer les différents phénomènes qui constituent l'élocution, partie de la rhétorique qui s'occupe du choix et de l'arrangement des mots, elle utilise en effet une méthode qui se fonde sur les différents types de modifications que peut subir un élément quelconque du discours (un mot ou une phrase par exemple). On distingue ainsi quatre opérations fondamentales : l'**adjectio**, qui consiste à ajouter un élément nouveau; la **detractio**, qui supprime un élément; la **transmutatio**, qui intervertit l'ordre des éléments; enfin l'**immutatio**, qui est une combinaison de detractio et d'adjectio. Or il est frappant de constater que les trois premières modifications correspondent exactement aux trois opérations combinatoires qui sont utilisées en syntaxe pour faire varier expérimentalement les structures linguistiques : insertion, effacement et permutation. La rhétorique est donc bien un laboratoire pour le linguiste qui a ainsi à sa disposition des phénomènes et des opérations en continuité directe avec les phénomènes qu'il étudie et les opérations qu'il utilise.

2. LES FIGURES DE CONSTRUCTION

2.1. *L'écart rhétorique : les effacements (figures de construction par sous-entente)*

Parmi les différentes espèces de figures, nous retiendrons d'abord les figures de construction, que Fontanier définit ainsi : « ... c'est dans la combinaison des mots, une addition, une suppression, ou une disposition toute nouvelle, enfin une dérogation à l'usage ordinaire » [Fontanier, 1968, p. 279-280]. Comme on le voit, Fontanier les classe en utilisant les trois opérations de base qui sont l'insertion, l'effacement et la permutation. Nous nous bornerons dans ce paragraphe à envisager les figures de construction par effacement et nous en retiendrons trois : l'**ellipse**, le **zeugme** et l'**asyndète.** Dans les trois cas, le principe de l'analyse rhétorique est le même : on pose l'existence d'une forme canonique de la phrase de base et l'on fait apparaître, en comparant la phrase à analyser avec la phrase de base, l'effacement d'un élément. Soit le vers suivant :

Qu'est-ce donc que mourir ? briser ce nœud infâme...

(Lamartine, *La Mort de Socrate*.)

Il est naturel de rétablir après le point d'interrogation *c'est.* Nous avons affaire, selon les mots de Fontanier, à « la suppression des mots qui seraient nécessaires à la plénitude de la construction, mais que ceux qui sont exprimés font assez entendre pour qu'il ne reste ni obscurité ni inexactitude » [Fontanier, 1968, p. 305], c'est-à-dire à une **ellipse**. C'est la plupart du temps un verbe à un mode personnel qui est supposé sous-entendu; l'ellipse au sens rhétorique comprend donc les phrases nominales, à un ou deux éléments :

L'élan
L'arrêt
la balance au bout du trajet...

(Reverdy, *Casaque noire.*)

Chacun des deux premiers termes correspond à une phrase nominale dont la juxtaposition sert à abstraire le mouvement d'oscillation (cf. la balance) de toute référence temporelle. La poésie moderne utilise très fréquemment la phrase nominale descriptive composée d'une indication de lieu (à droite, ici, au nord, etc.) et d'un groupe nominal; on rencontre fréquemment ce type de construction au début du poème :

Toute une ville dans les toits du village

(Deguy, « Toute une ville... »)

lacis de centres dans le hall

(Deguy, « Lacis de centres... »)

C'est que le poème commence par une vision, par la présence d'une réalité située dans l'espace : un objet de premier plan évoqué sur fond d'un décor où il prend place.

Remarquons au passage les problèmes posés, ici comme en analyse linguistique, par la notion d'ellipse ou d'effacement; quelle est exactement la forme canonique qui est au point de départ de la réduction ? En réalité il n'y a que des paraphrases plus ou moins exactes et il est dangereux de chercher une phrase-source qui serait le point de départ assuré de la transformation. Cette difficulté souligne le caractère original et créateur de l'ellipse,

« une des figures qui disent le plus et font le plus penser » [Fontanier, p. 308].

Le **Zeugme** « consiste à supprimer dans une partie du discours, proposition ou complément de proposition, des mots exprimés dans une autre partie, et à rendre par conséquent la première de ces parties dépendante de la seconde, tant pour la plénitude du sens que pour la pénitude même de l'expression » [Fontanier,

1968, p. 313]. Si nous avons deux séquences coordonnées, chacune composée de deux éléments, par exemple $GN_1 + GV_1$ et $GN_2 + GV_2$, et si $GV_1 = GV_2$, je pourrai mettre en facteur GN et obtenir ainsi le zeugme $(GN_1 + GN_2)$ GV :

> Quelles sauvages mœurs, quelle haine endurcie,
> Pourrait, en vous voyant, n'être point adoucie ?
>
> (Racine, *Phèdre*.)

D'autres dispositions sont possibles, selon la nature et la fonction du terme « sous-entendu » :

> Nous avions laissé sans émoi
> Tous impédiments dans Paris,
> Lui quelques sots bernés, et moi
> Certaine princesse Souris...
>
> (Verlaine, *Laeti et errabundi*.)

Un type particulièrement intéressant de zeugme est le zeugme complexe, dans lequel l'élément sous-entendu n'est pas employé avec la même valeur syntaxique ou sémantique dans les deux séquences (ou plus) bâties selon le même schéma. On distinguera alors le zeugme syntactiquement complexe et le zeugme sémantiquement complexe :

> Un sépulcre funèbre où vos noms, où vous-mêmes
> Dans l'éternelle nuit serez ensevelis.
>
> (J. B. Rousseau.)
>
> Vêtu de probité candide et de lin blanc
>
> (V. Hugo, *Booz endormi*.)

Dans le premier cas il faut rétablir « sont ensevelis » au lieu de « serez ensevelis » et dans le second il y a passage d'un domaine sémantique à un autre (concret/abstrait). Cette dernière figure, qui est utilisée aussi dans le registre comique :

> il prit son parapluie d'une main et son courage de l'autre

est présente aussi bien dans la poésie classique :

> Mon père et mon devoir étaient inexorables.
>
> (Corneille, *Polyeucte*.)

que dans la poésie contemporaine.

L'asyndète constitue une troisième figure de construction par effacement; elle consiste en l'omission des particules de coordination entre séquences de même fonction et de même niveau :

La lueur plus loin que la tête
Le saut du cœur
Sur la pente où l'air roule sa voix
les rayons de la roue
le soleil dans l'ornière...

(Reverdy, *Adieu.*)

L'asyndète est, dans l'exemple précédent, soulignée par l'apparition, à la fin du poème, de la conjonction de coordination :

... Et sur ses pas
le dernier carré de lumière.

L'asyndète se retrouve fréquemment dans les longues énumérations que L. Spitzer a appelées « énumérations chaotiques », caractéristiques de la poésie moderne depuis Whitman (cf. le chapitre suivant).

2.2. *L'écart poétique : les licences poétiques (figures de construction par permutation)*

A côté des figures de construction par effacement, il y a des figures de construction par permutation. Les problèmes rencontrés ici concernent donc l'ordre des mots. C'est un domaine auquel la linguistique traditionnelle s'est intéressée depuis longtemps, et qui a été récemment remis en honneur à la suite des travaux de J. H. Greenberg [cf. J. H. Greenberg (ed.), *Universals of Language*, MIT Press, 1963]. Chaque langue a un ou des ordres canoniques d'arrangement des mots dans une phrase, avec une liberté plus ou moins grande de variations par rapport à cet ordre canonique.

En français, l'ordre canonique de la phrase simple est le suivant : Sujet + Verbe + Complément d'objet direct. En règle générale, le français se caractérise par un ordre progressif, selon lequel le déterminé se place avant le déterminant, le sujet avant le prédicat, le verbe avant le complément, etc. Toute permutation des termes à partir de cet ordre canonique peut être qualifiée d'**inversion.**

Certaines inversions sont obligatoires dans un niveau de langue donné, par exemple l'inversion pronom personnel sujet-verbe dans la phrase interrogative : *est-il venu ?* D'autres inversions, étudiées le plus souvent par la stylistique, sont dites expressives : « Au bas de Byrsa s'étalait une longue masse noire » [Flaubert, *Salammbô*]. Ce sont ces inversions que la rhétorique classique désignait du nom de figure d'inversion, **hyperbate** ou **anastrophe.** Les théoriciens de l'Antiquité distinguaient l'anastrophe, inversion de l'ordre normal de deux mots qui se suivent immédiatement *(Peste ! où prend mon esprit toutes ces gentillesses ?)* et l'hyperbate, séparation de deux mots, étroitement unis du point de vue syntaxique, par l'insertion d'un mot ou d'un groupe de mots dont la fonction syntactique est distincte *(O vous qui de l'honneur entrez dans la carrière...)*. Fontanier rassemble ces deux formes sous le même nom d'Inversion, qu'il définit par rapport, non à l'ordre canonique de la phrase, mais à l'ordre logique des pensées : pour un certain nombre de grammairiens et de philosophes, l'ordre S V O du français reflète l'ordre logique de la réflexion (ordre analytique). Toute déviation par rapport à cet ordre ne fait qu'exprimer la passion du locuteur ou sa volonté d'insister sur le mot et l'idée ainsi mis en relief.

Mais, bien qu'elle soit utilisée par les orateurs et les prosateurs, l'inversion, pour les théoriciens classiques et néo-classiques, est surtout la marque de la poésie. Elle nous fait ainsi passer de l'écart rhétorique à l'écart proprement poétique ; c'est une licence poétique, c'est-à-dire une permission accordée aux poètes d'utiliser des tournures que ni la langue courante ni même la langue de la prose littéraire ne pouvaient accepter : « La principale de toutes les licences poétiques, c'est l'*inversion*. Grâce à son charme particulier, qui est celui de la poésie, notre langue admet deux sortes de constructions : l'une, qui respecte la subordination des mots, et l'autre, qui s'en écarte. La première est la *construction directe*, la seconde l'*inversion* » [Martinon, 1962, p. 64].

La doctrine classique a codifié les cas dans lesquels l'inversion poétique est possible :

1 / L'inversion du sujet est en principe assez rare, sauf dans les cas où la prose l'admet (interrogatoire, incise, proposition subor-

donnée circonstancielle, etc.) ; le sujet peut être transposé entre verbe et complément ou entre auxiliaire et participe passé, soit renvoyé en fin de phrase. Elle se rencontre pourtant dans d'autres cas, en particulier avec des verbes indiquant une apparition, un mouvement vers le sujet, un mouvement rapide; cet usage est encore vivant dans la poésie contemporaine :

Claquent les barrières de la foudre

(J. Ristat, *L'Entrée dans la baie...*)

2 / L'inversion du verbe et du complément d'objet direct, qui est aussi relativement rare :

Et qu'un bras nous allongions...

(Supervielle, *Offrande.*)

Le complément peut être transposé entre l'auxiliaire et le participe passé :

Chaque goutte épargnée a sa gloire flétrie.

(Corneille, *Horace.*)

3 / L'inversion de l'attribut du sujet :

Fière est cette forêt dans sa beauté tranquille.

(Musset, *Souvenir.*)

4 / L'inversion du verbe et du complément d'objet indirect :

A des partis plus hauts ce beau fils doit prétendre.

(Corneille, *Le Cid.*)

5 / L'inversion du complément déterminatif du sujet ou du complément d'objet direct :

Du zéphyr l'amoureuse haleine
Soulève encor tes longs cheveux.

(Lamartine, *Souvenir.*)

Restons-y. Nous avons du monde atteint les bornes.

(V. Hugo, *La Conscience.*)

Pour les inversions de type 4 et 5, en particulier, il convient d'appliquer la règle d'écartement des termes, selon laquelle les deux termes transposés doivent être séparés par l'insertion d'un autre élément de la proposition et l'inversion est d'autant plus difficilement acceptée que les termes se rapprochent, surtout s'il s'agit de deux substantifs; il ne serait pas possible par exemple d'écrire : Nous avons atteint du monde les bornes.

6 / L'inversion de l'adjectif ou du participe passé employé comme adjectif et du substantif qu'il détermine :

> Son front sans profondeur et fuyant en arrière
> N'ombrageait qu'à demi sa saillante paupière.
>
> (Lamartine, *La Chute d'un Ange.*)

7 / De manière plus générale, la transposition, soit avant le verbe, soit entre l'auxiliaire et le participe, soit entre un verbe à un mode personnel et un infinitif, d'éléments se plaçant ordinairement après.

Dans le texte suivant de *La Henriade* sont réunis à peu près tous les types d'inversions admises :

> Ah! si de la discorde allumant le tison,
> Jamais à tes fureurs tu mêlas mon poison,
> Si tant de fois pour toi j'ai troublé la nature...
> Va sous ses étendards, flottants de tout côté,
> Réunir tous les cœurs par moi seule écartés...
> Aux remparts de Paris Henri porte la foudre...

La doctrine classique est complexe et elle n'a jamais été figée, même à l'époque où l'on aurait pu croire qu'elle serait le plus dogmatique, aux XVIIe et XVIIIe siècles en particulier. Chaque époque, chaque groupe de poètes, chaque style, chaque créateur accepte ou refuse, utilise avec prédilection ou rarement tel ou tel type d'inversion.

Certaines inversions, condamnées dans la grande poésie, sont acceptées dans d'autres genres et contribuent à définir des registres particuliers de l'expression poétique. C'est le cas du style marotique, considéré à l'époque classique et néo-classique comme caractéristique du conte, de l'épître familière, de la chanson, et du poème badin en général, qui se définit par une série de « hardiesses » et de « licences » : mauvaises rimes, vers qui enjambent, hiatus, usage de mots vieillis et de constructions archaïques dans lesquelles l'inversion occupe une place de choix. On accepte par exemple en effet dans le style marotique, utilisé de La Fontaine à Voltaire, l'inversion du participe :

> Trouvé ne l'as en moi, je t'en assure.
>
> (La Fontaine, *Le Cocu battu et content.*)

du sujet :

> Or est le cas allé d'autre façon.
>
> (La Fontaine, *Le Calendrier des vieillards.*)

Au lieu de considérer l'inversion comme une règle absolue qui se serait imposée mécaniquement à tous les poètes classiques et néo-classiques, il faut la voir comme un lieu de jeux subtils et changeants, qui naissent de ce qui constitue l'origine et la réalité profonde de l'inversion, c'est-à-dire la dialectique entre les principes de la langue et les principes de la versification. On s'est en effet beaucoup trop intéressé à la valeur expressive ou à la valeur d'écart de l'inversion et l'on oublie de situer le problème sur son véritable terrain : quels rapports existent entre les configurations métriques (au sens large de la versification, puisque la rime joue ici un rôle) et les configurations syntaxiques ? A l'origine, l'ordre des mots en ancien français est beaucoup plus libre qu'aujourd'hui. Mais un double mouvement se produit : peu à peu s'organise et se consolide l'ordre « progressif » de la séquence et, parallèlement mais indépendamment, les règles du vers (césure, rimes, hiatus et élision, unité du vers) se cristallisent sous une forme relativement rigide. Ainsi naît une tension entre deux exigences contradictoires : il faut d'un côté un vers fermé sur lui-même, doté d'une césure venant après un accent d'intensité maximal, sans hiatus, excluant les e muets dans des positions déterminées, aboutissant à une rime de préférence riche; d'un autre côté, il faut respecter l'ordre logique — analytique et progressif — de la phrase française. L'inversion est le résultat, instable et changeant, de l'ajustement entre ces deux exigences.

L'évolution du XVIe au XIXe siècle apparaît comme un long mouvement d'abandon et de refus progressif de l'inversion au nom du naturel et de l'usage. Malherbe déjà censurait les inversions qui faisaient obstacle à la compréhension : « On doit éviter soigneusement les transpositions dont un propos est rendu rude et malpropre » [Deimier, *Académie de l'Art poétique*]. Une forme d'équilibre est atteinte avec la canonisation des classiques de 1660 et c'est la norme de Racine qui sert de modèle. Mais, dès la fin du XVIIe siècle, le mouvement continue : pour Fénelon et Fontenelle, l'inversion est une tare dont la poésie doit se débarrasser. Le problème de l'inversion poétique rejoint le problème grammatical de la construction : le français possède un ordre logique progressif et, même si l'on reconnaît l'existence d'autres ordres plus ou moins naturels, on ne doit pas sans raison solide déranger l'organisation claire et cohérente de la phrase. Nous retrouvons ici la lente évolution de la poésie vers la langue de tous les jours.

Mais cette évolution n'est pas sans oscillations ni retours. A côté de l'ordre logique, les théoriciens du XVIIIe siècle font une place à l'ordre de la passion et à l'ordre de l'harmonie [Batteux *in* Brunot, 1905-1953, VI, II, 1, p. 2115]. Aussi est-il permis, surtout en poésie, de sacrifier l'ordre logique à des besoins d'expressivité ou d'harmonie : Ch. Bordes ou S. Mercier recommandent l'inversion comme moyen de rendre la poésie plus colorée et plus musicale. L'œuvre de Lamartine est une excellente illustration de ces principes; dans sa poésie, l'inversion est presque la règle et il l'emploie beaucoup plus fréquemment que la plupart des poètes néo-classiques, précisément parce que ses vers sont organisés par la recherche de l'expressivité et de la musique :

> Par des êtres vivants l'impie architecture
> Pour enivrer les yeux remplaçait la sculpture.
> D'une colonne à l'autre en ornements humains
> Des enfants suspendus se tenant par les mains,
> Et de plis gracieux arquant leurs membres souples,
> En guirlandes de corps enlaçaient leurs beaux couples.
>
> (Lamartine, *La Chute d'un Ange*.)

Même si l'importance de l'inversion décroît au cours du XIXe siècle, elle se maintient et l'on peut dire que son sort est lié à celui de la versification classique : l'inversion ne saurait disparaître qu'avec la ruine complète du système et cela parce que la triple contrainte de la rime, du rythme et de la mesure conduit, ajoutée aux souvenirs de la diction classique qui hantent tout le siècle, à sacrifier une fois ou l'autre l'ordre « naturel » à l'ordre de la passion ou de l'harmonie. Nous prendrons deux exemples de cette survie de l'inversion : l'œuvre de Rimbaud et de Supervielle. Chez Rimbaud, la phrase se déroule en suivant l'ordre normal, souligné par une forte construction rhétorique (groupes binaires de substantifs, utilisation systématique des épithètes, etc.). Mais certains adjectifs gardent une position anormale (par exemple les adjectifs de couleur, très souvent antéposés : « plein de rouges tourments ») et il n'y a guère de poème, même parmi ceux où la désagrégation du système de la versification est la plus avancée, où ne restent d'importantes traces de l'inversion :

> Parmi les Morts des eaux nocturnes abreuvés.
>
> (Rimbaud, *Les Premières communions.*)

> Aux branches claires des tilleuls
> Meurt un maladif hallali.
>
> (Rimbaud, *Bannières de Mai.*)

Remarquons comment les vers courts, au service d'une poésie musicale, utilisent sans difficulté les inversions que Rimbaud hésite davantage à employer dans la poésie en alexandrins, plus rhétorique et plus discursive.

L'exemple le plus étonnant est sans doute celui de Supervielle, dans l'œuvre duquel l'inversion — née surtout des contraintes de la rime et, en second lieu, du rythme — a la même spontanéité musicale et un peu molle que chez Lamartine :

> ... De délices se brise
> Et flotte la surprise
> Des lunaires morceaux.
>
> (Supervielle, *Regrets de France.*)

Même lorsque la versification régulière disparaît, l'inversion peut encore se maintenir, car elle demeure marque de poésie et les recherches de rythme conduisent à transposer les termes; dans le groupe Nom + Adjectif, par exemple, l'inversion permet de faire porter l'accent de groupe sur le nom :

> ces mots de notre obscurité, ces mots
> de notre misérable et nécessaire devoir.
>
> (J.-P. de Dadelsen, *Jonas.*)

Ailleurs les soucis d'équilibre rythmique peuvent amener à transposer deux termes pour obtenir soit une terminaison masculine, soit une terminaison féminine :

cette ombre que j'imaginais
Petite et faible, avec de belles saintes mains.

(Milosz, *La Charrette.*)

Cette alliance de l'inversion et du rythme n'est pas loin de justifier le P. Du Cerceau qui avait affirmé, en 1777, que l'inversion constitue l'essence de la poésie française : elle est une des traces qui montrent que, dans la poésie, la langue se soumet à la contrainte du rythme, en même temps imposé de l'extérieur et virtuellement présent dans le langage.

3. FIGURES DE STYLE ET MODALITÉS DU DISCOURS

3.1. *Les modalités du discours*

« Le palmaire cutané est une lamelle musculaire aplatie, mince, quadrilatère, située dans le tissu cellulaire sous-cutané. C'est un muscle peaucier, séparé des autres muscles de l'éminence hypothénar par l'aponévrose palmaire. »

(H. Rouvière, *Anatomie humaine.*)

Ô lumière! où vas-tu ? Globe épuisé de flamme,
Nuages, aquilons, vagues, où courez-vous ?
Poussière, écume, nuit! vous, mes yeux! toi, mon âme!
Dites, si vous savez, où donc allons-nous tous ?

(Lamartine, *L'Occident.*)

(Oh! comme elle est maigrie!
Que va-t-elle devenir ?
Durcissez, durcissez,
Vous, caillots de souvenir!)

(Laforgue, *Légende.*)

Si l'on regarde, sans même les lire, les trois fragments qui précèdent, on ne peut manquer d'être frappé par la différence graphique qui oppose le premier fragment aux deux autres : la ponctuation du premier est uniquement composée de points et de virgules; dans le second et le troisième apparaissent, en grand nombre, les points d'interrogation et les points d'exclamation. La prose scientifique, objective et descriptive semble exclure exclamation et interrogation. La poésie, en revanche, semble les utiliser avec ferveur : il suffit de feuilleter les poésies de Lamartine, de Hugo, de Laforgue, de Louise Labé ou de Villon pour voir les signes d'exclamation et d'interrogation se multiplier. Voilà qui suggère et rappelle une conception de la poésie, bien vieille et toujours renouvelée, que l'on a vue exprimée crûment par les philosophes néo-positivistes, parmi bien d'autres : le langage peut répondre à une fonction cognitive, par laquelle il sert à connaître objectivement le monde, ou à une fonction émotive, par laquelle il traduit les états d'esprit d'un sujet en face du monde et des autres; par l'une, je me représente le monde tel qu'il est, par l'autre je me le représente tel que je le ressens, tel que je le voudrais. D'où l'opposition entre l'assertion, qui dit les choses telles qu'elles sont en réalité : le chat est sur le paillasson, et les autres modalités du discours : ordre, interrogation, exclamation.

Le bon sens positiviste rencontre la rhétorique, pour laquelle il y a de « grandes Figures qui sont aux choses et aux sentiments, et non pas celles qui ne sont que dans les paroles » [d'Aubignac]. Ces figures, que l'on appelle figures de style, figures de pensée, figures d'expression, etc., doivent en même temps refléter les passions de celui qui parle et provoquer les passions de ceux qui écoutent. Parmi elles, un certain nombre sont particulièrement propres à exprimer les passions violentes et sont couramment utilisées dans la poésie tragique comme dans la poésie lyrique : **ordre, exclamation, apostrophe, interrogation** et **interruption,** qui correspondent en partie aux modalités non assertives du discours. Pour les présenter, nous choisirons nos exemples dans la poésie des trouvères [Dragonetti, 1960] et dans le théâtre de Racine [France, 1965]. Il ne faut pas oublier que, pour la rhétorique, il n'y a figure que lorsqu'il y a écart par rapport à un usage normal : l'interrogation canonique, par exemple, faite pour obtenir une information précise, n'est pas une figure. Mais deux points sont à souligner : en premier lieu, dans la poésie lyrique, toutes les interrogations sont figures, puisque le poète ne peut pas, par définition, s'adresser directement à un interlocuteur — la femme aimée par exemple. En second lieu, la rhétorique de l'interrogation rejaillit sur l'analyse des modalités en nous faisant prendre conscience de l'importance et de la fréquence des interrogations non canoniques : le langage courant est lui-même rempli de tours qui ne correspondent que de loin aux formes prétendues normales d'expression. Combien d'interrogations sont-elles précisément « rhétoriques » !

L'**interrogation,** question rhétorique, ne vise pas la demande d'information : « L'interrogation consiste à prendre le tour interrogatif, non pas pour marquer un doute et provoquer une réponse, mais pour indiquer au contraire la plus grande persuasion, et défier ceux à qui l'on parle de pouvoir nier ou même répondre » [Fontanier, 1968, 368]. Lorsque Mithridate dit :

> Ah Madame! Est-ce là de quoi me satisfaire ?
>
> (Racine, *Mithridate.*)

la question est une façon expressive de dire : *non, ce n'est pas là de quoi me satisfaire.* Si le locuteur s'interroge lui-même et se répond, il s'agit de la figure appelée **ratiocinatio** :

> Deus! ke ferai ? Dirai li mon corage ?
> Li irai jou dont s'amour demander ?
> Oïl, par Deu! car tel sont li usage
> C'on n'i puet mais sans demant rien trover.
>
> (Conon de Béthune.)

Il s'agit de **subjectio** lorsque le locuteur, après avoir posé une question, fait lui-même la réponse :

> Voulez-vous du public mériter les amours ?
> Sans cesse en écrivant variez vos discours.
>
> (Boileau, *Art poétique.*)

> Dame, une riens vous demant :
> Cuidiez-vous que soit pechiez
> D'ocirre son vrai amant ?
> Oïl, voir! bien le sachiez!
>
> (Thibaut de Champagne.)

S'il demande conseil à l'auditoire, ou à une personne absente, il s'agit de **communicatio** ou de **dubitatio** (lorsqu'il demande conseil pour la conduite même du discours) :

> Conseill quier de mon martir,
> Seigneur, maiz ne sai a cui;
> Comment puet sa joie eslire
> Qui par tout voit son amir ?
>
> (Gace Brulè.)

La **correction,** par laquelle on rétracte ce que l'on vient de dire pour le corriger ou pour lui substituer un terme plus fort et plus exact, est souvent introduite par une interrogation :

> Dieus! qu'ai je dit ? Qui porrait deservir
> Le bien qui vient de loiaument amer ?
>
> (Gautier d'Epinal.)

L'**interruption** traduit le moment où l'émotion ne peut plus s'exprimer sous la forme du langage courant: elle« laisse là tout à coup, par l'effet d'une émotion trop vive, une phrase déjà commencée, ou pour ne reprendre la première qu'après l'avoir entrecoupée d'expressions qui lui sont grammaticalement étrangères » [Fontanier, p. 372]. C'est un des cas où le « beau désordre » est un « effet de l'art » :

> Te le dirai-je, hélas! tandis qu'il m'a parlé,
> Sa voix m'attendrissait; tout mon cœur s'est troublé!
> Cresphonte... ô ciel! j'ai cru... que j'en rougis de honte!
>
> (Voltaire, *Mérope.*)

Le même rôle expressif et dramatique vaut pour les autres modalités :

Ordre :

> Va-t-en, Monstre exécrable.
> Va, laisse-moi le soin de mon sort déplorable
>
> (Racine, *Phèdre.*)

Exclamation :

> Funeste aveuglement! Perfide jalousie!
> Récit menteur! Soupçons que je n'ai pu celer!
>
> (Racine, *Bajazet.*)

Apostrophe :

> Mais dans quel souvenir me laissé-je égarer ?
> Tu pleures, malheureux! Ah! tu devais pleurer...
>
> (Racine, *Bajazet.*)

Le monologue du théâtre classique est le genre poétique où triomphent ces recours de la rhétorique de la passion :

> Où suis-je ? Qu'ai-je fait ? Que dois-je faire encore ?
> Quel transport me saisit ? Quel chagrin me dévore...
>
> (Racine, *Andromaque*.)

Tout ce monologue d'Hermione est à étudier du point de vue des modalités du discours et l'on verrait alors qu'il est moins éloigné qu'on ne croit de la poésie lyrique, médiévale ou romantique.

On dira en effet que cette rhétorique est bien vieille et qu'elle n'émeut plus grand monde. Laissons là ces problèmes de goût et remarquons plutôt un fait linguistique, que l'on peut résumer de la façon suivante : la poésie de l'âge romantique n'a guère fait que transposer cette rhétorique de la passion du théâtre à la poésie lyrique. Nous avons cité tout à l'heure une strophe de Lamartine, nous pourrions multiplier les citations. C'est que la querelle entre classiques et romantiques porte sur l'authenticité des sentiments : authentique ou présumé tel, le sentiment s'exprime par des recours linguistiques identiques. C'est pourquoi il est facile de retrouver l'exclamation, l'apostrophe, l'interruption et la question dans la poésie de Lamartine ou de Hugo. La dernière partie (VIII) de *A celle qui est restée en France (Contemplations)* est une longue exclamation, une longue invocation religieuse et poétique où le Mage, conjurant l'univers sur le mode impératif, orchestre le lent mouvement de l'Etre :

> Paix à l'ombre ! Dormez ! dormez ! dormez ! dormez ! ...

Symbolistes et Expressionnistes n'aiment pas moins que les romantiques l'exclamation et l'interrogation :

> Oh ! par pitié ! ferme tes yeux trop grands d'idole,
> Ma triste enfant de Joie !
>
> (Milosz, *Aliénor*.)

et, même lorsque la ponctuation normale se défait, points d'interrogation et d'exclamation sont les derniers à disparaître. Il serait intéressant, à ce point de vue, d'étudier la ponctuation dans la *Prose du transsibérien* de Cendrars : la presque totalité des signes de ponctuation utilisés est composée de points de suspension, de points d'interrogation, de points d'exclamation et de guillemets. Dans *Eros Energumène*, de Denis Roche, où les points et les virgules semblent, d'après les principes habituels, erratiquement indiqués, triomphent les signes de ponctuation indicateurs de modalités : parenthèse, guillemets, tirets, points de suspension, d'exclamation et d'interrogation. Même lorsque la ponctuation a totalement disparu, même lorsque la syntaxe s'est désagrégée, apparaissent dans le magma du poème les marques morpho-syntaxiques de l'exclamation, de l'interrogation et de l'apostrophe (ô, Ah ; interjections; inversions; mots interrogatifs et exclamatifs) :

c'est comme on s'accroche
Aux chiffres t'entendre Tilt Oh comment t'aimer
Annie

(B. Vargaftig, *Attendre...*)

Les modalités autres que l'assertion n'ont pas seulement un rôle expressif, elles contribuent, par leur forme aussi bien que par leur distribution, à donner un ton spécifique à la poésie. L'ode ne peut pas se définir seulement par son sujet et sa versification, elle est inséparable d'une couleur, d'un ton, qui sont l'effet de l'enthousiasme : telle était au moins l'ode de l'Antiquité classique, où se manifestait la possession du dieu. L'ode moderne n'est « qu'un poème de fantaisie », mais elle a conservé la volonté « de traiter en vers plus élevés, plus animés, plus vifs en couleur, plus véhéments, et plus rapides », les sujets qu'elle choisit [Marmontel, 1879, III, p. 2]; ce qui la caractérise, c'est donc « la chaleur, la véhémence, l'élévation, le pathétique... ». Apostrophe, impératif, exclamation et interrogation constituent donc un élément essentiel du ton de l'ode :

Quoy ? Leur seul aspect vous glace ?
Où sont ces chefs pleins d'audace
Jadis si prompts à marcher,
Qui devoient de la Tamise,
Et de la Drêve soumise,
Jusqu'à Paris nous chercher ?

(Boileau, *Ode sur la prise de Namur.*)

L'ode se caractérise par un deuxième grand trait, le « beau désordre » qui fait marcher au hasard son style impétueux. L'interruption, qui sert à peindre chez Racine les égarements de la passion, est élevée ici au rang de principe : « J'entends par ce beau désordre, une suite de pensées liées entre elles par un rapport commun à la même matière, mais affranchies des liaisons grammaticales et de ces transitions scrupuleuses qui énervent la poésie lyrique... » [La Motte, *Discours sur la poésie*]. Le style heurté, interrompu, est la marque du sublime. Généralisé, il deviendra au XXe siècle un signe révélateur de la confusion et de la déréliction modernes dans la poésie de style expressionniste : preuve de la multiplicité de significations que peut recevoir une construction linguistique.

A l'autre extrémité de la hiérarchie et de la tonalité des genres poétiques, la chanson, chanson à boire, à danser ou chanson d'amour, utilise avec prédilection interrogations et exclamations portant sur des phrases simples et courtes qui s'opposent à la période de l'ode. Pensons par exemple à ce genre difficile à définir mais intuitivement reconnaissable qu'est la complainte, de Marceline Desbordes-Valmore à Apollinaire et Aragon. L'atmosphère qu'elle évoque ne tient pas seulement aux mots qu'elle emploie; elle est très souvent créée par le retour ou la simple présence d'une invocation ou d'une question. Dans *Mai* d'Apollinaire, une grande partie du charme qu'exerce le poème vient de la question indéfinie qui clôt le premier quatrain :

> Le mai le joli mai en barque sur le Rhin
> Des dames regardaient du haut de la montagne
> Vous êtes si jolies mais la barque s'éloigne
> Qui donc a fait pleurer les saules riverains

Interrogation et exclamation ont, en même temps, un rôle structurel : elles apparaissent souvent à ces positions marquées que sont les débuts et les fins de groupe, strophe et poème. Le poème que Malherbe adresse « A la Reine Mère du Roi pendant sa Régence » commence et finit par une interrogation qui coïncide avec la première et la dernière strophe. Peut-être ce rôle structurel n'apparaît-il nulle part mieux que dans la poésie du XXe siècle, que l'on aurait pu croire hostile ou étrangère à ces recours traditionnels. La poésie de René Char est une de celles qui semblent le plus échapper à l'analyse, parce qu'elle renonce à de nombreux procédés classiques. Et pourtant, comment ne pas être frappé, dans *Seuls demeurent*, par la place et l'importance de l'interrogation et de l'exclamation ? Ainsi *Congé au vent* commence par une évocation à la troisième personne *(elle s'en va...)*, mais voici qu'apparaît le thème du dialogue et de l'appel *(Il serait sacrilège de lui adresser la parole)* et le poème se termine par l'appel du poète à un interlocuteur indéterminé mais présent, dans deux phrases, la première étant à l'impératif et la seconde étant une interrogation : *L'espadrille foulant l'herbe, cédez-lui le pas du chemin. Peut-être aurez-vous la chance de distinguer sur ses lèvres la chimère de l'humidité de la Nuit ?* L'intonation montante de l'interrogation et de l'exclamation sert à prolonger le poème au-delà de ses derniers mots.

3.2. *Actes de langage*

Les modalités linguistiques ne sont en fait que les catégories les plus générales, marquées par des signes portant sur la proposition dans son ensemble, de ce qu'on appelle actes de langage : « Parler une langue, c'est réaliser des actes de langage, des actes comme : poser des affirmations, donner des ordres, poser des questions, faire des promesses, et ainsi de suite... » [Searle, 1972, 52]. Il n'est pas question d'offrir ici une classification exhaustive, ni même un échantillonnage représentatif des divers actes de langage utilisés en poésie, mais seulement d'attirer l'attention sur la fréquence et l'importance d'un certain nombre d'entre eux, qui donnent souvent naissance à des genres poétiques, à des développements ou à des tonalités spécifiques du poème. Quelquefois même un poème est fondé sur la variation et la succession d'actes de langage; tel est le cas d'*Amers*, de Saint-John Perse, qui fait se succéder : Interrogation, Adjuration, Imprécation, Initiation, Appel, Célébration. Commençons par la **prière,** au sens religieux du terme, qui est une des formes les plus anciennes et aujourd'hui encore la forme la plus courante sans doute d'expression poétique chez tous ceux qui ne sont pas poètes :

Délivre-nous des vains mensonges,
Et des illusions des faibles en la foi :
Que le corps dorme en paix, que l'esprit veille à toi,
Pour ne veiller à songer.

(D'Aubigné, *Prière du soir.*)

La prière est en même temps appel et demande d'aide. L'acte d'appel se retrouve dans diverses régions du territoire poétique, comme invocation du poème épique dans laquelle le poète cherche à se mettre sous la protection d'un dieu ou d'une puissance surnaturelle, comme conjuration d'esprits, de fantômes ou de divinités, comme appel au-delà du temps et de l'espace pour être secouru ou retrouver un absent :

> Muse, redis-moi donc quelle ardeur de vengeance,
> De ces Hommes sacrés rompit l'intelligence...
>
> (Boileau, *Le Lutrin.*)

L'acte de **demander** peut présenter toutes les nuances de l'insistance, adjuration, supplication, et a sa place aussi bien dans l'épopée que dans la poésie amoureuse, dans le placet comme dans la pastourelle :

> Plus la vi, plus la prisai
> plus la regardoie;
> molt doucement li priai
> ke s'amor fust moie.
>
> (Anonyme.)

L'acte de **se plaindre** donne en particulier naissance au genre de la complainte :

> Complainte
>
> Si vous aimant, bergère, on me voit agité
> D'une douleur poignante en ma poitrine enclose,
> Qu'on en blâme l'amour, c'est sa propriété :
> « L'amour et la douleur sont une même chose... »
>
> (Pyard de La Meiande, « Si vous aimant... »)

Il en est de même du **regret,** qui correspond aussi à un type spécifique de poème, les Regrets : pensons à Villon *(Les regrets de la belle Hëaumière)* ou à Du Bellay, dont les *Regrets* constituent une longue plainte nostalgique. Au regret s'oppose la tonalité du **souhait** ou de la **promesse :**

> Avec mon souhait le plus tendre
> Comme il sied entre vieux amis,
> Dans cette main qu'on aime à tendre
> Je dépose le fruit permis.
>
> (Mallarmé.)

L'acte de **crier** fait irruption dans le discours tragique pour marquer l'impossibilité du langage articulé (cf. l'exclamation) mais peut aussi représenter l'idéal d'une pensée pathétique mais réduite au plus extrême dénuement, comme chez Guillevic :

> Le cri du chat-huant,
> Que l'horreur exigeait,
>
> Est un cri difficile
> A fourrer dans la gorge.
>
> (Guillevic, *Art poétique.*)

Nous groupons avec les actes du langage deux catégories qui sont avant tout des attitudes en face du monde et des autres mais qui prennent aussi la forme d'actes de langage. Il s'agit de ces deux attitudes qui consistent à agrandir et à rapetisser; d'un côté

> Le Poète s'égaye en mille inventions,
> Orne, élève, embellit, agrandit toutes choses...
>
> (Boileau, *Art poétique.*)

tandis que, d'un autre côté, il rabaisse l'homme vil ou le personnage de comédie. C'est que ces deux perspectives sont inséparables d'une visée morale, comme on le voit déjà chez Aristote : l'art peint des personnages plus grands, c'est-à-dire meilleurs que nature ou plus petits, c'est-à-dire plus mauvais que nature. La tragédie est ainsi du même côté que la louange, la comédie du même côté que la satire. Cette double orientation de la poésie se retrouve dans un grand nombre de cultures et correspond par exemple très exactement aux deux grands genres de la poésie anté-islamique, l'éloge *(madḥ)* et la satire *(hidja')*. Il faut insister, croyons-nous, sur ces notions, peu à la mode aujourd'hui parce qu'elles font appel à une sémantique grossière qui n'a pas encore droit de cité en linguistique, banales puisqu'elles sont partout présentes, trop connues pour être vraiment reconnues. Il serait facile de regrouper la majeure partie des genres littéraires dans les deux catégories ainsi définies : ici l'éloge, l'hymne, l'ode, la tragédie; là le blâme, l'imprécation, la satire, l'épigramme, la malédiction. Peut-être même tient-on là la source dernière de l'écart poétique, qui n'est pas formel mais sémantique et reconstitue toujours le couple inséparable du grand et du petit, du duc et de la canaille.

3.3. *Une poésie sans pathétique ?*

L'étude des modalités et des formes de l'énonciation poétique conduit à une question qu'il ne faut pas éluder : y a-t-il une poésie sans exclamation, sans interrogation, sans prière et sans imploration, une poésie qui serait simple constatation des choses mêmes ? En premier lieu remarquons que la présence des modalités, leur fréquence et leur distribution permettent de construire une typologie de la poésie, aussi fine que l'on veut. On opposera ainsi la poésie que l'on peut appeler pathétique, située au pôle d'importance maximum des modalités non assertives, à la poésie du dénuement, à la poésie « objective » et monocorde, assertive, située au pôle opposé. Les genres poétiques s'échelonnent sur le même axe, de la poésie lyrique à la poésie descriptive qui déroule imperturbablement ses phrases assertives, et dont Delille est le représentant le plus parfait :

> Moins vif, moins valeureux, moins beau que le cheval,
> L'âne est son suppléant, et non pas son rival;
> Il laisse au fin coursier sa superbe encolure,
> Et son riche harnais, et sa brillante allure.
> Instruit par un lourdaud, conduit par le bâton,
> Sa parure est un bât, son régal un chardon...
>
> (Delille, *Les Trois Règnes.*)

Mais ce qu'on peut appeler la « lyricisation » progressive du champ poétique a fait presque totalement disparaître cette poésie du constat. Il est intéressant à cet égard de noter combien les descriptions de F. Ponge sont loin de cette assurance continue et sont rythmées par les interrogations ou les exclamations du poète qui, prenant le parti des choses, ne fait que les enserrer dans le progrès de sa réflexion personnelle :

> Mais revenons à la forme de ces racines. Pourquoi une corde plutôt qu'un pivot ou qu'une arborescence comme les racines d'habitude ?
>
> (F. Ponge, *Rhétorique résolue de l'œillet.*)

La poésie lyrique la plus sobre, la lyrique japonaise du tanka et du haïku, la poésie objective de Reverdy n'échappent pas davantage, dans leur extrême discrétion, aux modalités interrogatives ou exclamatives :

> est-ce légère neige
> tombant dispersée ainsi
> la voyant je me demande
> cette chute oblique
> quelle fleur est-ce ?
>
> (*Suruya No Uneme* (trad. J. Roubaud).)

Une seule interrogation suffit à imposer une tonalité à maint poème de Reverdy :

> Sur le seuil personne
> ou ton ombre
> Un souvenir qui resterait
> La route passe
> Et les arbres parlent plus près
> Qu'y a-t-il derrière...
>
> (Reverdy, *Route*.)

Proches des modalités telles que nous les avons définies sont les attitudes propositionnelles (que l'on fait quelquefois entrer dans l'étude des modalités au sens large) exprimées par des verbes tels que savoir, espérer, attendre, désirer, se souvenir, etc., opérateurs toujours relatifs à un individu déterminé. L'étude de leur fréquence et de leur distribution conduirait, elle aussi, à une typologie allant de la poésie à modalité propositionnelle explicite :

> Hélas! ai-je pensé, malgré ce grand nom d'Hommes,
> Que j'ai honte de nous, débiles que nous sommes!
>
> (Vigny, *La mort du Loup*.)

à la poésie où l'attitude propositionnelle tantôt disparaît complètement (description objective), tantôt est implicitement présente grâce à un terme (adjectif, adverbe) impliquant une attitude spécifique par rapport au monde :

> Tête meuble.
> Les champs se rejoignent au centre, où tremble un peu d'eau.
> Un arbre entre par la porte ouverte.
> Ma mémoire trouée se pulvérise dans le champ,
> avec son corps de planète...
>
> (A. du Bouchet, *Plein chant*.)

Mais, comme on le voit dans le texte précédent, ce qui semble le plus irréductiblement attaché à la poésie lyrique d'abord et sans doute à la plus grande partie de la poésie, c'est la présence de la première personne. En deçà des modalités et les fondant apparaît l'instance de la subjectivité dans le langage, le pronom de première personne :

> Ce que j'ai voulu c'est garder les mots de tout le monde...
> (J. Réda, « Ce que j'ai voulu... »)

On comprend ainsi comment toutes les figures de style que nous avons analysées reposent en dernier ressort sur une subjectivité dont la phrase assertive sans modalité propositionnelle et sans indication de première personne n'est qu'une forme limite d'expression et que le contexte et l'usage peuvent toujours réactiver.

4. LES TROPES

4.0.

Comme l'inversion, les tropes, ou figures de signification, sont parmi les écarts les plus caractéristiques de la poésie. Comme l'écrit Fontanier, « les tropes sont comme la poésie, enfants de la fiction; ils doivent donc par cela même mieux convenir à la poésie qu'à la prose, qui n'a pas la même origine » [p. 180].

4.1. *Définition des tropes*

Les tropes se produisent lorsque les mots « sont pris dans un sens détourné, autre qu'un sens propre, c'est-à-dire dans une signification qu'on leur prête pour le moment, et qui n'est que de pur emprunt » [Fontanier, p. 66]. « Ils sont ainsi appelés, parce que quand on prend un mot dans le sens figuré » — qui s'oppose au propre — « on le tourne — ce que signifie τρέπω — pour ainsi dire, afin de lui faire signifier ce qu'il ne signifie point dans le sens propre : voiles dans le sens propre ne signifie point *vaisseaux*, les voiles ne sont qu'une partie du vaisseau : cependant, *voiles* se dit quelquefois pour vaisseaux, comme nous l'avons déjà remarqué ». Les tropes sont des figures « qui, outre la propriété de faire conoître ce qu'on pense, sont encore distinguées par quelque diférence particulière, qui fait qu'on les raporte chacune à une espèce à part » [Dumarsais, 1967, p. 17-18].

De ces textes, on retiendra que trois points servent traditionnellement à définir les tropes :

a / L'opposition du sens propre et du sens figuré : les tropes sont en effet des figures, *i.e.* des « modifications » grammaticales mais, parce qu'elles portent sur la signification, et non sur les sonorités, comme les figures de diction, ou la syntaxe, comme les figures de construction, elles impliquent le passage d'un sens propre à un sens figuré. Les tropes sont des figures qui présentent un sens figuré. C'est leur première caractéristique. Ainsi *voiles*, pour reprendre cet exemple classique, présente un *sens propre* dans

Un vaisseau comprend une coque et des voiles.

un *sens figuré* dans

Je vois cent voiles à l'horizon.

où voiles signifie vaisseau. *Voile* est ici le *terme figuré*, qui renvoie au *terme propre*, vaisseau.

L'opposition du sens propre et du sens figuré se situe donc dans la confrontation des deux sens d'un même terme :

voile ⟨ sens 1 « voile »
voile ⟨ sens 2 « vaisseau »

C'est une perspective polysémique. Celle du terme propre et du terme figuré repose au contraire sur la mise en relation de *deux* termes différents, dont le sens, dans un contexte donné, apparaît comme grossièrement équivalent :

1. voile
2. vaisseau

dans une perspective synonymique. De cette seconde opposition découle le deuxième critère de définition du trope :

b / La notion de substitution. Bien qu'elle ait été critiquée dans plusieurs courants de la rhétorique [cf. Molino, Soublin, Tamine,

1979], c'est une constante, de la rhétorique antique et en particulier latine, à la rhétorique classique, telle que la représentent Beauzée ou Fontanier. Le trope remplace le terme propre — et à l'inverse, le terme propre est décelable, ou reconstructible, derrière le trope —, *i.e.* qu'outre le sens du terme propre, il présente des idées accessoires, ou suggère des associations qui donnent au discours plus de force. Les effets des tropes sont par conséquent toujours définis en termes de « plus ». « *Ils donnent au langage*, outre cette richesse et cette abondance si merveilleuse, *plus de noblesse et plus de dignité, plus de concision et plus d'énergie, plus de clarté et plus de force, et enfin plus d'intérêt et plus d'agrément* » [Fontanier, p. 167]. On comprend donc l'utilisation abondante qui en est faite en poésie.

c / Cette substitution du terme propre au terme figuré se fonde sur les quatre opérations fondamentales de la rhétorique.

Le trope se substitue donc à un terme présenté comme propre, en accord avec une ou plusieurs opérations rhétoriques, le résultat étant l'apparition d'un sens **figuré.**

Les différentes espèces de tropes se distinguent selon la nature et la combinaison des opérations utilisées. Tout au long de l'histoire, on constate d'importantes modifications dans ce système, des treize tropes de Quintilien aux trois de Beauzée et Fontanier (et même aux deux de Jakobson), en passant par l'énorme liste, trente tropes, de Dumarsais — nous renvoyons sur ce point à l'article de F. Soublin, 13 → 30 → 3 [1979].

La liste de Quintilien constituant, malgré toutes ces fluctuations, le noyau le plus stable dans la rhétorique, c'est elle que nous adopterons. Néanmoins, puisque notre but est de traiter de l'utilisation des tropes en poésie, nous ne nous attacherons qu'à ceux qui y sont amplement représentés, les synecdoques, métonymies et métaphores.

4.2. *Synecdoques et métonymies*

La **synecdoque,** nous dit l'abbé Girard [1841] « est un trope par lequel on donne une signification particulière à un mot qui, dans le sens propre, a une signification plus générale : ou, au contraire, par lequel on donne une signification générale à un mot qui, dans le sens propre, n'a qu'une signification particulière. En un mot, la synecdoque met le plus pour le moins, ou le moins pour le plus : elle étend ou restreint la signification des mots, ce qui donne lieu à mille beautés dans le discours ». Elle repose donc par excellence sur l'adjonction ou la suppression.

On la subdivise entre autres en synecdoque du genre pour l'espèce :

> Et qu'une femme enfin, dans la calamité
> Me fasse des leçons de générosité.
>
> (Corneille, *Polyeucte*.)

ou de l'espèce pour le genre :

> C'est tantôt l'aubépine et tantôt le genêt;
> ...
> Car Dieu fait un poème avec des variantes
> ...
> Mais c'est avec les fleurs, les monts, l'onde et les bois!
>
> (Hugo.)

en synecdoque de la partie pour le tout (*voile* pour *vaisseau*) :

> O dernier confident de l'âme qui s'envole,
> Viens, reste sur mon cœur! ...
>
> (Lamartine, *Le crucifix*.)

et en synecdoque de la matière :

> Hélas! cette horde égarée
> Mutilait l'airain renversé.
>
> (Hugo, *Le rétablissement de la statue de Henri IV*.)

Dans tous les cas, elles mettent en jeu des notions dont la définition n'est pas indépendante, qu'il s'agisse de la définition par le genre, qui fonde la synecdoque du genre ou de l'espèce :

> Pauline est une femme.
> L'aubépine et le genêt sont des fleurs.

ou de la définition par énumération des parties, qui a pour corollaire la synecdoque de la partie ou du tout :

> Un individu est composé d'une âme, d'un cœur, d'yeux, etc.

Fontanier les décrit donc comme des tropes par « *connexion*, consistant dans la désignation d'un objet par le nom d'un autre objet avec lequel il forme un ensemble, un tout, ou physique ou métaphysique, l'existence ou l'idée de l'un se trouvant comprise dans l'existence ou dans l'idée de l'autre » [p. 87]. En termes plus modernes, nous pourrions dire qu'elles reposent sur une inclusion logique (l'espèce dans le genre), ou matérielle (la partie dans le tout). Les deux éléments ne sont ainsi pas indépendants.

Tel n'est pas le cas des **métonymies,** les tropes par correspondance de Fontanier, qui consistent « dans la désignation d'un objet par le nom d'un autre objet qui fait comme lui un tout absolument à part, mais qui lui doit ou à qui il doit lui-même plus ou moins, ou pour son existence, ou pour sa manière d'être » [p. 79]. On y trouve, en particulier, des utilisations de la cause pour l'effet :

> Ami, chez nos Français ma { Muse / Poésie } voudrait plaire.
>
> (Chénier, *Epître sur ses ouvrages.*)

de l'effet pour la cause :

> Las du mépris des sots qui suit la pauvreté,
>
> Je regarde { la tombe / la mort }, asile souhaité
>
> (Chénier, *Crise morale.*)

le signe pour la chose signifiée :

> A la fin j'ai quitté { la robe / la magistrature } pour { l'épée / l'armée }
>
> (Corneille.)

le lieu où une chose se fait pour la chose faite :

> Pradon a mis au jour un livre contre vous,
> Et chez le chapelier du coin de notre place
>
> Autour d'un { Caudebec / chapeau fait à Caudebec } j'en ai lu la préface
>
> (Boileau.)

le contenant pour son contenu :

> Eh quoi! Sont-ils donc loin, ces jours de notre histoire
> Où { Paris
>   { les Parisiens sur son prince osa lever son bras ?
>
> (V. Hugo, *Le rétablissement de la statue de Henri IV.*)

ou le nom abstrait pour le nom concret :

> Les vainqueurs ont parlé; { l'esclavage en silence
>   { les esclaves silencieux
> Obéit à leur voix, dans cette ville immense.
>
> (Voltaire.)

Les deux objets, faits, notions, reliés, existent indépendamment l'un de l'autre, bien qu'ils soient unis par un lien de nécessité, objectif, fondé dans tous les cas — à l'exception de la dernière espèce — sur une contiguïté, spatiale (lieu pour la chose, contenant pour le contenu) ou temporelle (cause/effet, effet/cause).

Lien définitionnel pour les synecdoques, lien de contiguïté objective pour les métonymies : dans les deux cas, l'écart qui fonde la figure est rapidement réduit, puisque la relation qui lie les deux termes, propre et figuré, est naturel et immédiat. Les tropes ici reposent sur des relations préconstruites, qui ne requièrent ni effort de construction de la part du poète, ni effort d'interprétation de la part du lecteur. On comprend donc que synecdoques et métonymies, qui ne font jamais énigme, soient surtout utilisées dans la poésie classique et néo-classique [cf. Brunot-Bruneau, 1905-1953, t. XII], ainsi les métonymies de l'effet pour la cause ou du signe pour la chose signifiée :

> Nous ne les verrons plus, le front ceint de lauriers,
> Troublant de leur aspect les fêtes du génie,
> Chez Melpomène et Polymnie
> Usurper une place où siégeaient nos guerriers.
>
> (Casimir Delavigne, *Trois Messéniennes.*)

et les synecdoques de la partie, telles celles qui construisent entièrement le poème *Corps et âmes* de Sully Prudhomme :

Heureuses les lèvres de chair!
Leurs baisers se peuvent répondre;
Et les poitrines pleines d'air!
Leurs soupirs se peuvent confondre.

Heureux les cœurs, les cœurs de sang!
Leurs battements peuvent s'entendre;
Et les bras! ils peuvent se tendre,
Se posséder en s'enlaçant.

Toutes ces figures répondent à l'idéal des tropes qui « doivent surtout être clairs, faciles, se présenter naturellement » et ne pas être de « ces expressions tirées de loin et hors de leur place », qui « marquent une trop grande contention d'esprit et font sentir toute la peine qu'on a eue à les rechercher » [Dumarsais, 1967, p. 40-41].

En contrepartie de leur limpidité, les synecdoques et les métonymies sont peu productives. Nul n'a jamais songé à appeler *un Aubagne*, *un santon d'Aubagne*, le produit n'ayant pas, à l'époque, la notoriété d'un chapeau de Caudebec (!). A l'inverse, des figures autrefois transparentes, comme ce Caudebec, ne suscitent plus que l'incompréhension, une fois le produit passé de mode. La construction, comme l'interprétation des synecdoques et des métonymies, est le reflet de ce qui constitue, à un moment donné, la structure du réel. Fortement codées, elles sont alors vite lexicalisées, donnant ces fers, ces bras, ce sang de la tragédie classique, que les lecteurs modernes ont fini par ne plus percevoir comme tropes, et surtout, elles n'ont jamais permis le déploiement de l'imagination conduisant à la révélation de rapports cachés. Au fur et à mesure que se sont imposées les idées de création, d'originalité, elles ont été délaissées au profit de la métaphore, devenue peu à peu le trope-roi.

4.3. *La métaphore*

Si, moyennant quelques différences de présentation, les synecdoques et les métonymies ont toujours donné lieu à des définitions identiques, il n'en va pas de même de la **métaphore** dont nous citerons ici trois approches différentes, qui sont loin d'épuiser l'ensemble de toutes celles qui ont été proposées.

Dans une tradition grammaticale qui remonte à Quintilien, elle est en effet définie comme une comparaison abrégée, *similitudo brevior*. Par rapport au modèle canonique :

Achille est impétueux comme un lion

on obtient par une série d'ellipses d'abord la comparaison sans *tertium comparationis* :

Achille est comme un lion

puis la métaphore *in praesentia*, par effacement de *comme* :

Achille est un lion
Achille, un lion
Ce lion d'Achille

et enfin la métaphore *in absentia*, par suppression du terme propre :

ce lion

Telle est encore chez les contemporains l'analyse de Gérard Genette dans son article sur la Rhétorique restreinte [1970]. On accorde donc aux deux figures un fondement commun : la mise en relation de deux éléments qui ont un ou plusieurs traits communs, *impétueux* dans l'exemple canonique, *brûle* ou *ardent* chez Genette.

Cette communauté de traits est souvent décrite comme une ressemblance, ainsi dans la définition de Fontanier, qui en fait un « trope par ressemblance » qui « consiste à présenter une idée sous le signe d'une autre idée plus frappante ou plus connue, qui d'ailleurs ne tient à la première par aucun autre lien que celui d'une certaine conformité » [p. 99]. Avec une terminologie moderne, le groupe μ [Dubois *et al.* 1970] ne dit pas autre chose lorsqu'il parle d'intersection sémique. Ainsi la métaphore :

cette jeune fille est un bouleau

s'expliquerait par le trait commun, *flexible*, à *jeune fille* et à *bouleau*, *i.e.* par la ressemblance partielle qui existe entre eux. Il est important de signaler que, *stricto sensu*, on ne peut parler de ressemblance que lorsque *deux*, et seulement *deux* termes sont impliqués : Achille ressemble à un lion, la jeune fille ressemble à un bouleau, etc., *i.e.* précisément lorsque la métaphore implique deux noms. Son schéma est donc :

A ressemble à B.

En effet, au cas où elle porterait sur deux verbes (ou deux adjectifs), nécessairement définis par rapport à leur sujet, ou à leur complément, plus de deux termes seraient mis en jeu. C'est ici qu'intervient l'analyse de la métaphore par l'analogie, ou proportion, qui remonte à Aristote. Dans *La Poétique*, il distingue quatre sortes de métaphores :

— du genre à l'espèce,
— de l'espèce au genre,
— de l'espèce à l'espèce,
— par analogie ou proportion.

Les deux premières ont été appelées ultérieurement synecdoques et seules les deux dernières ont retenu le nom de métaphores. Les métaphores par analogie ou proportion ne reposent pas sur une relation entre termes, mais sur une relation de relations, soit $A/B = C/D$, ou R_1 ressemble à R_2.

Ainsi, si A est à B ce que C est à D, on pourra employer métaphoriquement B pour D ou D pour B, et A pour C ou C pour A. Par exemple, puisque la vieillesse est à la vie ce que le soir est au jour, on pourra appeler le soir, la vieillesse du jour, et la vieillesse, le soir de la vie, ou encore puisque chanter est à une cantatrice ce que roucouler est à un pigeon, on pourra dire que la cantatrice roucoule et que le pigeon chante.

Cette relation de relations ne peut apparaître que si A et C sont des noms, B et D des verbes ou des adjectifs, ou encore si A et B, C et D, tous quatre des noms, sont respectivement liés par une préposition, généralement *de*.

Le premier point qu'il convient donc de souligner est que chacune de ces trois grandes familles de définition de la métaphore, comparaison abrégée, ressemblance, analogie ou proportion, se relie à des fonctionnements syntaxiques différents. Les deux premiers modèles portent exclusivement sur des couples de noms — ou d'infinitifs — [cf. Molino, Soublin, Tamine, 1979], la troisième sur des groupes N_1 de N_2, et plus généralement sur des métaphores verbales. Cette constatation est une invitation à prendre en compte la syntaxe de la métaphore, généralement peu analysée.

Le deuxième point est que ces différentes analyses ne peuvent s'exclure, puisqu'elles sont liées à des configurations particulières. La métaphore apparaît ainsi comme le lien d'une diversité sémantique qui ne caractérisait ni les synecdoques ni les métonymies. Cette diversité apparaîtra encore plus nettement si l'on s'interroge par exemple sur la notion de ressemblance.

Dans la perspective classique, la métaphore se fonde sur une ressemblance objective, aisément constatable, comme cela apparaît dans ce passage de Fontanier : « Or, quelles sont les conditions nécessaires de la métaphore ? Il faut qu'elle soit vraie et juste, lumineuse, noble, naturelle et enfin cohérente. Elle sera vraie et juste si la ressemblance qui en est le fondement est juste, réelle, et non équivoque ou supposée. Elle sera lumineuse si, tirée d'objets connus, et aisés à saisir, elle frappe à l'instant l'esprit par la justesse et la vérité des rapports. Elle sera noble, si elle n'est point tirée d'objets bas, dégoûtants... Elle sera naturelle, si elle ne porte point sur une ressemblance trop éloignée, sur une ressemblance au-delà de la portée ordinaire de la pensée... Enfin, elle sera cohérente si elle est parfaitement d'accord avec elle-même » [p. 102-103]. C'est ce qui se produit dans ces exemples de Racine :

Source ineffable de lumière
Verbe en qui l'Eternel contemple sa beauté;
Astre dont le Soleil n'est que l'ombre grossière

(A Laudes.)

Mais la métaphore peut également être le fruit d'une activité de l'esprit, de ce « voir comme » dont parle Ricœur [1975] qui peut construire la ressemblance, en pareil cas subjective, et non reproduire une conformité objective, révéler des propriétés cachées ou créer de toutes pièces des relations nouvelles. Les métaphores s'échelonnent ainsi entre deux pôles que représentent la figure classique transparente et la métaphore surréaliste arbitraire, ou fondée sur des associations de signifiants :

Enfin la nuit tomba à genoux
Laissant ruisseler ses cheveux roux
Dans les ruisseaux pleins de boue.

(Desnos, *Histoire d'une ourse.*)

Dans le premier type, l'écart qui fonde la figure est interprétable et immédiatement réduit, dans le second, il constitue une énigme, une plaisanterie, etc. Dans le premier, la métaphore se fonde sur des relations préconstruites, dans le second, elle est une construction. Il n'est donc pas étonnant que la métaphore se soit imposée au détriment des autres tropes chaque fois que l'on valorisait les effets déroutants, dans la poésie baroque ou surréaliste par exemple :

> Dans le corps de la mort j'ay enfermé ma vie
> Et ma beauté paraît horrible dans les os.
>
> (D'Aubigné.)

> Aurore à gueule de tenailles.
>
> (René Char, *Les Matinaux.*)

ou l'énergie créatrice de l'esprit et l'imagination, comme dans la poésie romantique :

> L'été, c'est le regard de Dieu
>
> (Hugo, *Dieu est toujours là.*)

A cette diversité sémantique répond une diversité syntaxique, les métaphores se localisant dans plusieurs configurations, qui constituent cependant une constante, puisqu'elles se retrouvent à travers toute son histoire.

Si l'on désigne par Tp le terme propre, Tm le terme métaphorique, et R la relation qu'établit entre eux la syntaxe, le schéma général des métaphores est le suivant :

Tp R Tm

En adoptant comme principes de distinction la nature de l'outil syntaxique qui supporte R, ainsi que la partie du discours à laquelle appartiennent Tp et Tm (on en a vu l'importance plus haut), on a la typologie suivante, résumée dans ce tableau :

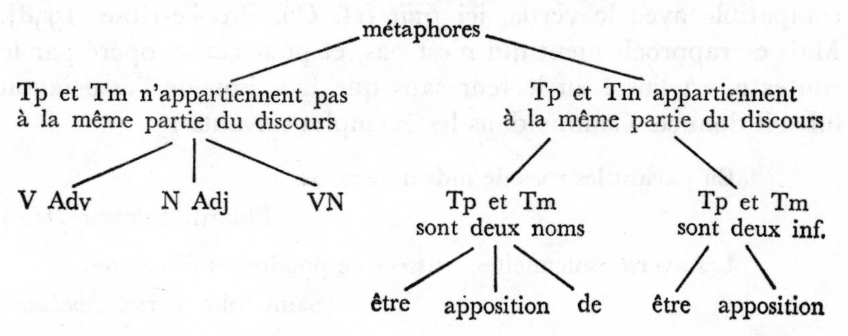

La première catégorie regroupe donc les métaphores où Tp et Tm, par exemple un nom et un verbe, n'appartiennent pas à la même partie du discours. La configuration *V Adverbe* n'est pratiquement jamais représentée. *Nom Adj.* se rencontre assez fréquemment :

> Il est des parfums frais comme des chairs d'enfants,
> Doux comme les hautbois, verts comme les prairies.
>
> (Baudelaire, *Correspondances.*)

mais le cadre le plus utilisé est *Nom Verbe* :

> Ce soir, la lune rêve avec plus de paresse.
>
> (Baudelaire, *Tristesses de la lune.*)
>
> Et mon cœur reverdit, quand tout redevient vert
>
> (Henry Cazalis, *Réminiscences.*)

Ces métaphores à pivot verbal ou adjectival sont les seules où l'on peut avec quelque rigueur parler d'écart, de violations de contraintes de sélection, les verbes et les adjectifs étant nécessairement définis en relation avec leur entourage. C'est parce que *rêver* demande comme sujet un nom animé que *lune* se présente comme une anomalie, c'est parce que *reverdit* demande comme sujet un terme désignant un végétal que *cœur* constitue un écart.

Ce type de métaphores correspond aux métaphores *in absentia* de la tradition : le terme qui rompt la cohérence sémantique, soit dans cet exemple de Hugo :

> Demain ne mûrit pas

demain, est implicitement rapproché du terme absent du contexte compatible avec le verbe, ici *fruit* [cf. Ch. Brooke-Rose, 1958]. Mais ce rapprochement qui n'est pas, et pour cause, opéré par le contexte, est laissé au lecteur sans que la raison de l'association lui soit donnée. Comme dans les exemples suivants :

> En pavant les rues de nids d'oiseaux.
>
> (Eluard, *Salvador Dali.*)
>
> Les averses solennelles... tissées de poudres et d'insectes.
>
> (Saint-John Perse, *Anabase.*)

la métaphore constitue ainsi souvent une énigme, dont l'intérêt réside dans le flou des associations qu'elle provoque.

Les métaphores qui unissent deux noms, et plus rarement deux infinitifs :

> Mon cœur est un palais flétri par la cohue.
>
> (Baudelaire, *Le Mauvais Moine.*)
>
> Etre poète, c'est avoir de l'appétit pour un malaise.
>
> (R. Char, *Partage formel.*)

se répartissent dans les trois cadres suivants :

• N_1 *est* N_2 :

> Philistins, magisters, je vous hais, pédagogues
> ...
> Car vous êtes l'hiver; car vous êtes, ô cruches!
> L'ours qui va dans les bois cherchant un arbre à ruches,
> L'ombre, le plomb, la mort, la tombe, le néant!
>
> (Hugo, *A propos d'Horace.*)

• N_1, N_2 :

> Vautour fatalité, tiens-tu la race humaine ?
>
> (Hugo, *Pauca meae VIII.*)
>
> La barque aux barcarols chantants...
> Voguait cygne mourant sirène
>
> (Apollinaire, *La chanson du Mal-Aimé.*)

• N_1 *de* N_2 :

> Qu'un ciel d'oubli s'ouvre à mes yeux
>
> (Apollinaire, *La chanson du Mal-Aimé.*)
>
> La canicule des preuves
>
> (R. Char, « Seuls demeurent... »)

Dans tous les cas, sauf dans ce dernier cadre, lorsqu'on a affaire à une nominalisation à partir d'une séquence verbale

> Le flamboiement d'amour de l'infini
> (l'infini flamboie d'amour)
>
> (Hugo.)

on ne peut plus, sauf par métaphore, parler de violation des contraintes de sélection, puisque les noms n'en ont généralement pas. L'écart n'est ici qu'un décalage, souvent malaisé à déterminer, par rapport à l'univers sémantique de référence du texte.

Ces métaphores N_1 R N_2 constituent les figures *in praesentia* de la tradition, puisque le terme propre est explicitement donné dans le contexte. Elles sont néanmoins très différentes selon l'outil syntaxique qui constitue R et qui se prête à des effets sémantiques divers.

Le premier cadre N_1 *est* N_2 se subdivise lui-même en trois configurations, selon le déterminant, indéfini, défini ou zéro *de* N_2. Lorsque le déterminant est indéfini :

> La nuit splendide et bleue est un paon étoilé
>
> (Henri Cazalis, *Quatrain.*)

l'objet auquel renvoie N_1 est classé dans la catégorie que désigne N_2, comme dans les définitions non métaphoriques :

> La baleine est un mammifère.

Mais ici, en l'absence de relation sémantique d'espèce à genre précodée entre N_1 et N_2, c'est la syntaxe seule qui supporte la *classification*. Le contexte peut en donner la clef, lorsque la métaphore offre une suite :

> La nature est un temple où de *vivants piliers*
> Laissent parfois sortir de confuses paroles
>
> (Baudelaire, *Correspondances.*)

ou laisser à la classification tout son arbitraire :

> Le ciel est un dé à coudre
>
> (Eluard, *Tournants d'argile.*)

> Les ongles des femmes seront des cygnes étranglés
>
> (Desnos, *Au petit jour.*)

Lorsque le déterminant de N_2 est défini (le, ce, ou son) :

> Je suis la plaie et le couteau!
> Je suis le soufflet et la joue!
> Je suis les membres et la roue,
> Et la victime et le bourreau.
>
> (Baudelaire, *L'héautontimorouménos.*)

> Cette forteresse épanchant la liberté par toutes ses poternes...
> c'est le poème.
>
> (Char, *Partage formel.*)

> La mer est ton miroir
>
> (Baudelaire, *L'homme et la mer.*)

on parle généralement (cf. J.-L. Gardies, 1975, *Esquisse d'une grammaire pure*, Vrin, Paris) d'identité. Mais rien ne lie le miroir et la mer, la forteresse et le poème, sinon la syntaxe, et leur identité, qui n'est pas donnée, qui ne préexiste pas à la figure, n'est que le résultat d'une *identification* produite par le cadre syntaxique lui-même.

Enfin, si N_2 n'est pas précédé d'un déterminant :

> Cette fumée qui nous portait était sœur du bâton
> qui dérange la pierre.
> (Char, *Les loyaux adversaires.*)

> Le poète est ciseleur,
> Le ciseleur est poète.
> (Hugo, *A M. Froment Meurice.*)

il a le fonctionnement d'un adjectif, et se borne à apporter une *qualification* à N_1.

Ces trois effets sémantiques, classification, identification et qualification, se retrouvent dans le cadre de l'apposition, selon le déterminant de N_2 :

> Puis les marmitons apportèrent les viandes
> Des rôtis de pensées mortes dans mon cerveau.
> (Apollinaire, *Palais.*)

> Les constellations, ces hydres étoilées
> (Hugo, « Le firmament est plein de la vaste clarté ».)

> Juin ton soleil ardente lyre
> Brûle mes doigts endoloris
> (Apollinaire, *La chanson du Mal-Aimé.*)

L'intérêt de ce cadre est qu'à la différence des précédents il rapproche le terme propre et figuré sur le mode de la parenthèse, sans rompre le cours de l'énoncé, et cette incise, directement reliée à l'énonciation, est en général mise en relation sémantique avec le reste de la proposition qu'elle peut par exemple expliquer :

> Magicien de l'insécurité, le poète n'a que des satisfactions
> adoptives
> (Char, *Partage formel.*)

C'est ainsi une configuration d'une extrême souplesse.

Le troisième cadre, *N_1 de N_2*, étant donné la multiplicité des sens de la préposition *de*, est le plus divers sémantiquement, *de N_2* pouvant, entre autres, selon les déterminants de N_1 et de N_2, selon la classe lexicale de ces deux noms, être un complément de matière :

> Marins aux voiles de brouillard
>
> (Béalu, *L'enclume.*)

qualité :

> J'ai disloqué ce grand niais d'alexandrin
>
> (Hugo, *Quelques mots à un autre.*)

identité :

> le gin flambant de l'électricité
>
> (Apollinaire, *La chanson du Mal-Aimé.*)

appartenance :

> le cœur d'eau noire du soleil
>
> (Char, *Force clémente.*)

[cf. Tamine, 1976]. Il est souvent difficile de trancher en faveur d'une interprétation :

> Dès lors que les routes de la mémoire se sont couvertes
> de la lèpre infaillible des montres
>
> (Char, *Envoûtement à la Renardière.*)

si bien que ce cadre apparaît essentiellement ambigu.

De cette présentation rapide des configurations de métaphores on retiendra l'importance de la syntaxe qui, à elle seule, peut susciter des rapprochements, assimilations implicites, classifications, identifications, etc., pour lesquels il n'est pas nécessaire qu'existent des justifications sémantiques. Avec le même cadre, porteur du même effet, la métaphore sera limpide dans la poésie classique :

> Quels seraient de tes vœux les inutiles fruits ?
>
> (Racine, *Bajazet.*)

énigmatique dans certains textes modernes :

> Le grenier de carmin a des recoins de jade
>
> (Eluard, *Laure.*)

On retiendra également qu'aucun de ces cadres n'équivaut exactement à un autre. Leur spécificité leur assure d'ailleurs des utilisations privilégiées selon les textes.

Il est intéressant de signaler quelques affinités. Ainsi, dans *Les Fleurs du Mal*, où il utilise d'ailleurs tous les cadres, Baudelaire semble avoir une prédilection pour les métaphores appositives. C'est sans doute que les pauses qu'elles introduisent dans la phrase leur permettent de jouer un rôle rythmique non négligeable :

> Par ces deux grands yeux noirs, soupiraux de ton âme,
> O démon sans pitié! verse-moi moins de flamme.
>
> (Baudelaire, *Sed non satiata.*)

de même que leur mobilité offre la possibilité d'un accord avec la métrique, comme dans ces vers où la césure et la coupe mettent en relief le groupe apposé :

> ... La mort, dans nos poumons
> Descend, fleuve invisible, avec de sourdes plaintes.
>
> *(Au lecteur.)*

Cette affinité de l'apposition avec des places métriques privilégiées est encore plus nette chez Mallarmé grâce à la brièveté, surprenante, de la métaphore apposée :

> ... Et quelle nuit hagarde
> Jeter, lambeaux, jeter sur ce mépris navrant ?
>
> *(L'Azur.)*
>
> Un clair croissant perdu par une blanche nue
> Trempe sa corne calme en la glace des eaux,
> Non loin de trois grands cils d'émeraude, roseaux.
>
> *(Las de l'amer repos.)*

On peut également montrer que chez la plupart des surréalistes les métaphores nominales les plus fréquentes sont, de loin, celles qui utilisent l'énigmatique préposition *de* :

> Le risque enfant fait trébucher l'audace
> Des pierres sur le chaume des oiseaux sur les tuiles
> Du feu dans les moissons dans les poitrines.
>
> (Eluard, *Laure.*)

Par ailleurs, N_1 *de* N_2 présente sur les autres métaphores nominales l'avantage de permettre des sortes de montages du texte qui superposent une seconde lecture à une phrase homogène. C'est ce que fait souvent Saint-John Perse dans *Anabase*. A la séquence :

Nos chevaux sobres et prudents sur les semences

il suffit qu'il ait ajouté un complément en *de* :

Nos chevaux sobres et prudents sur les semences
+ de révolte

pour qu'une autre dimension apparaisse. Citons également :

Les claquements du fouet déchargent aux rues neuves
des tombereaux
+ de malheurs inéclos

Tous ces exemples prouvent, s'il en était encore besoin, que la métaphore, loin d'être un écart mineur, un ornement local du texte, participe à sa construction d'ensemble.

5. MÉTAPHORE, COMPARAISON, IMAGE

Mais, au-delà des tropes, il faut envisager d'autres figures qui, comme la métaphore, sont considérées comme étant la marque propre de la poésie : la comparaison et les différentes formes de l'image.

5.1. *Métaphore et comparaison*. — S'il est parfois possible, dans le cas des métaphores nominales, de dériver une métaphore d'une comparaison, ou du moins de les associer :

L'histoire est un bagne aujourd'hui (Hugo.)
L'histoire est lugubre comme un bagne aujourd'hui

ceci ne préjuge en rien de leur fonction spécifique dans les textes.

On peut dire que, généralement, la métaphore désigne ou classe, là où la comparaison permet de développer tous les aspects d'un rapprochement. Soient donc ces métaphores de Hugo, tirées d'*Intérieur*, qui met en scène une querelle entre mari et femme :

> La querelle irritée, amère, à l'œil ardent,
> Vipère dont la haine empoisonne la dent,
> Siffle et trouble le toit d'une pauvre demeure.
> ... tandis
> Que ce couple hideux, que rend deux fois infâme
> La misère du cœur et la laideur de l'âme,
> Etalait son ulcère et ses difformités.

La première, *in praesentia*, fait de la querelle une vipère, recatégorisation qui découpe l'univers autrement qu'il ne l'est d'ordinaire. La seconde, *son ulcère*, *in absentia*, est une nouvelle dénomination pour *bassesse* ou tout autre terme semblable qui s'appuie également sur un transfert de catégorie. Pour qu'il soit plausible, la métaphore réorganise les caractères sémantiques des termes propres et figurés impliqués, et en supprime ou en met en valeur. C'est ce que Max Black [1962, *Models and Metaphors*, Cornell University Press, Ithaca, New York] appelle interaction. La métaphore, en nous obligeant à prendre en considération deux termes en même temps, opère une redistribution de traits : la querelle devient vipérine, et la vipère acquiert quelque chose d'abstrait. Seuls certains traits sont ainsi monopolisés, et les autres occultés. C'est ce qui rend possible la métaphore filée. *Siffle* dans le passage de Hugo est bien venu parce qu'il est en accord à la fois avec le cri de la vipère, et les criailleries qui accompagnent les querelles. Imaginerait-on, à moins d'une volonté de surprise ou de jeu, de faire allusion au type de reptation de la querelle-vipère, à l'épaisseur de sa tête, à ses écailles, etc. ? C'est ce qu'explique Fontanier à propos de cette métaphore de Théophile que des générations de rhéteurs ont condamnée : *Je baignerai mes mains dans les ondes de tes cheveux* : « *Onde* signifie dans son sens le plus restreint, ce mouvement par lequel l'eau forme à sa surface ces espèces de rides fugitives et instantanées qui s'effacent les unes les autres ; et, dans un sens plus étendu, il se prend pour l'eau même. Les cheveux légèrement agités ont quelque chose d'analogue à ce mouvement d'*ondulation* appelé *onde*. On peut donc désigner *métaphoriquement* cette ressemblance par le même nom, et dire *Des cheveux en ondes*, ou *Des ondes de cheveux*. Mais qu'est-ce que les cheveux peuvent offrir d'analogue à l'*onde* prise dans le sens d'*eau* ? Or, ce n'est que dans l'*onde* prise dans ce dernier sens que l'on peut *tremper ses mains*. On ne peut donc pas les *tremper* dans des *ondes de cheveux*, qui ne sont pas de l'*eau*, ou quelque chose de liquide » [Fontanier, 1968, p. 190].

Les ajustements et suppressions ne sont pas nécessaires dans les comparaisons, où les deux termes restent indépendants et renvoient à des objets *distincts*. La comparaison n'opère pas de recatégorisation, elle ne fait que rapprocher, sous un ou plusieurs aspects, des éléments séparés. Il n'y a donc pas de limites à son étendue. Elle peut porter sur un point :

> Je suis belle, ô mortels! comme un rêve de pierre
>
> (Baudelaire, *La Beauté*.)

mais aussi, dans l'épopée, se développer au point de former un tableau autonome, comme dans ce combat de Francus et Phovère, de *La Franciade* de Ronsard :

> L'un ressemblait à ce flot dizenier
> Bouffi de vents, horreur du marinier,
> Qui d'un grand branle en menaçant se vire,
> Impétueux, sur le bord du navire.
> L'autre semblait au bon pilote expert
> Qui plus d'esprit que de force se sert :
> Ore la proue, ore la poupe il tourne,
> Et, vigilant, en un lieu ne séjourne,
> Ains, ajoutant l'expérience à l'art,
> D'un œil prudent évite le hasard.

Qu'on songe aussi aux comparaisons des sonnets de Du Bellay qui se développent au moins sur deux quatrains.

Ces différences théoriques seront au gré des textes gommées ou accentuées. Nous emprunterons à *Anabase* de Saint-John Perse un exemple de la première stratégie, et à *La Chevelure* et à *Un hémisphère dans une chevelure* de Baudelaire un exemple de la seconde.

Lorsqu'on recense les formes des comparaisons dans *Anabase*, on constate qu'en dehors de quelques exemples avec *ainsi que* :

> ouvre ma bouche dans la lumière, ainsi qu'un lien de miel entre les roches,

l'ensemble des comparaisons se répartit entre *plus Adj. que* :

> ... Ce monde est plus beau
> Qu'une peau de bélier peinte en rouge!

et *comme*, qui est l'outil le plus fréquent :

> au travers de telles familles humaines, où les haines parfois chantaient comme des mésanges.

Peu variées syntaxiquement, les comparaisons sont ainsi liées à quelques formes stéréotypées qui donnent l'impression de formules, et créent une atmosphère d'épopée.

Pourtant, à la différence des comparaisons épiques, elles forment ici rarement un tableau indépendant. Elles ont presque toujours une extension limitée, dont le cas extrême est illustré par cet exemple :

> Et la lumière comme une huile

où *comme* ne relie pas autrement que l'apposition ou *de* les deux noms impliqués.

Dans la comparaison canonique :

> Achille est impétueux comme un lion

comme dans les comparaisons développées, on trouve un, ou plusieurs attributs communs au comparant et au comparé qui indiquent sous quel rapport se fait la comparaison en en limitant l'extension. Dans la métaphore, même si une suite vient la justifier :

> Les souvenirs sont cors de chasse
> Dont meurt le bruit parmi le vent
>
> (Apollinaire, *Cors de chasse.*)

l'imagination a tout le loisir de se déployer et de construire les catégories nouvelles qui en naissent. Or, on constate dans *Anabase* que la raison de la comparaison est rarement donnée par le contexte.

Lorsqu'il est présent, ce *tertium comparationis* est le plus souvent lui-même métaphorique :

> les haines chantaient comme des mésanges
>
> portant son cœur farouche et bourdonnant comme un gâteau de mouches noires

si bien que la comparaison n'est plus qu'une énigme.

Le plus souvent, comparant et comparé sont rapprochés sans que rien n'oriente le sens de ce rapprochement :

> Les fleuves sont sur leurs lits comme des cris de femmes
> et la mer au matin comme une présomption de l'esprit.

Comme joue-t-il alors vraiment un rôle différent de la préposition *de* dont on a signalé qu'elle permettait des montages d'éléments disparates ?

De même que la métaphore, la comparaison, dans *Anabase*, repose le plus souvent sur un arbitraire que le contexte n'essaie pas de corriger. Leur fonctionnement commun est la juxtaposition d'éléments, créatrice d'associations neuves, mais dont le fondement reste énigmatique. *Comme* n'est plus qu'un outil syntaxique, avec l'apposition et *de*, de ces rapprochements.

La confrontation de deux textes de Baudelaire sur un même thème, la chevelure, l'un en prose et l'autre en vers, permet au contraire d'illustrer une utilisation différente et spécifique de chacune des deux figures.

La première constatation qui s'impose à la lecture des deux textes est que si les métaphores y sont également présentes, les comparaisons sont plus nombreuses dans le texte des *Petits poèmes en prose*, *La Chevelure* n'en comportant que deux, qui se retrouvent à peu près identiques dans le texte en prose :

> Je la veux agiter dans l'air comme un mouchoir!
> les agiter avec ma main comme un mouchoir odorant.

> Comme d'autres esprits voguent sur la musique,
> Le mien, ô mon amour! nage sur ton parfum.
> Mon âme voyage sur le parfum comme l'âme des autres
> hommes sur la musique.

Dès la troisième strophe de ce poème qui en compte sept, elles disparaissent.

Au contraire, dans le poème en prose, elles subsistent, et s'associent à une série de verbes de perception :

> Si tu pouvais savoir tout ce que je vois! tout ce que je sens! tout ce que j'entends dans tes cheveux!
>
> ...
>
> Dans l'océan de ta chevelure, j'entrevois un port fourmillant de chants mélancoliques...

Dans tous les cas, le texte montre comment les propriétés de la chevelure font naître le rêve :

> Dans les caresses de ta chevelure, je retrouve les langueurs des longues heures passées sur un divan, dans la chambre d'un beau navire.

Rien de tel dans le poème en vers. Il ne dit pas :

> Tes cheveux contiennent tout un rêve, plein de voilures et de mâtures

mais :

> Tu contiens, mer d'ébène, un éblouissant rêve
> De voiles, de rameurs, de flammes et de mâts.

Les cheveux ont disparu : ils ne sont pas l'instrument du rêve, ils sont dans le rêve, noir océan, toison ou crinière. Il est frappant à cet égard que le texte en prose offre une profusion de métaphores *in praesentia*, presque toujours en *de* :

> dans l'océan de ta chevelure
> dans l'ardent foyer de ta chevelure
> dans la nuit de ta chevelure
> sur les rivages duvetés de ta chevelure

si bien que les cheveux, prétexte du rêve, ne se laissent jamais oublier. Dans le poème en vers au contraire, ce sont les métaphores *in absentia*, depuis le premier vers :

> O toison, moutonnant jusque sur l'encolure

qui dominent : *forêt aromatique*, *mer d'ébène*, *noir océan*, *crinière lourde*. Lorsque dans la sixième strophe, le terme de *cheveux* apparaît pour la première fois, il est lui-même pris dans le rêve :

> Cheveux bleus, pavillon de ténèbres tendues.

Dans le poème en prose, l'univers du réel coexiste toujours avec le rêve : métaphores en *de*, verbes de perception et comparaisons sont les outils de sa naissance. Dans *La Chevelure*, le petit nombre de comparaisons et l'abondance des métaphores *in absentia* effacent tout ce qui n'est pas le rêve.

5.2. *L'image*. — Métaphore et comparaison sont souvent regroupées sous un terme plus général, l'image. Pour le sens commun d'aujourd'hui, il est entendu que l'image est au cœur du poème, qu'un poème est un composé d'images, que la poésie n'est pas autre chose que l'utilisation systématique des images. Dans le grand mouvement poétique qui s'ouvre avec le Romantisme et se poursuit avec le Symbolisme et le Surréalisme, la poésie en vient à s'identifier à l'image : à mesure que les caractéristiques formelles de la poésie se relâchent et disparaissent, elle prend une part progressivement plus importante et devient peu à peu la caractéristique définitoire de la poésie, seul lien qui demeure entre le poème en prose et le poème en vers, seule marque qui oppose la poésie à tous les autres usages du langage. Déjà pour Vigny, la preuve du génie poétique se trouve dans les comparaisons : « Les hommes du plus grand génie ne sont guère que ceux qui ont eu dans l'expression les plus justes comparaisons » [A. de Vigny, *Journal d'un poète*]. Comparaisons, métaphores, symboles, tout ce qui, dans la tradition néo-classique, n'était que figure échappe maintenant à la rhétorique pour devenir image. La conscience des poètes s'accorde avec la réflexion des critiques : qui parle encore, lorsqu'il s'agit de poésie, de métonymie, de synecdoque ou d'antonomase ? L'évolution de la poésie depuis près de deux siècles tend à privilégier une poésie pure qui doit être débarrassée de toutes les impuretés que charrie le langage pratique, rationnel ou scientifique. Que reste-t-il alors dans le langage, sinon la présence profonde et inattendue d'une vision où le monde de tous les jours est transformé par l'intrusion d'une réalité différente ? « La ressource essentielle de la poésie pure est l'image » [C. D. Lewis, 1953]. L'image surréaliste apparaît comme la version laïcisée de la métaphore romantique, dans laquelle les choses du monde renvoient à une réalité spirituelle qui les double intérieurement : à l'image symbolique qui fait passer du monde d'ici-bas au monde spirituel, le surréalisme — et le formalisme — substitue l'image-surprise qui renouvelle notre vision et nous fait, pour un instant, voir le monde autrement, en attendant que l'image s'use et, dans une révolution permanente, laisse la place à une nouvelle image.

Mais qu'est-ce que l'**image** ? Le mot est ambigu, car il désigne en même temps des images littérales, réelles et des images fictives : « D'après Longin, on a compris sous le nom d'*image* tout ce qu'en poésie on appelle *descriptions* et *tableaux*. Mais en parlant du coloris du style, on attache à ce mot une idée beaucoup plus précise; et par *image* on entend cette espèce de métaphore qui, pour donner de la couleur à la pensée, et rendre un objet sensible s'il ne l'est pas, ou plus sensible s'il ne l'est pas assez, le peint sous des traits qui ne sont pas les siens, mais ceux d'un objet analogue» [Marmontel, 1879, II, p. 262]. Littérale ou figurative, l'image littéraire renvoie à un réel qu'elle imite, qu'elle évoque ou qu'elle crée; c'est que le premier sens de l'image, représentation concrète d'une personne ou d'une chose, est toujours présent dans notre conception : l'image, sous toutes ses formes littéraires, est encore la représentation, transposée par le moyen du langage, d'une expérience sensible ou d'un objet qui peut, en fait ou en droit, être perçu par les sens. Dans une perspective sémiologique, elle fait partie des signes iconiques, c'est-à-dire des signes qui ressemblent à ce qu'ils signifient, et cela est vrai aussi bien des images littérales que des images « fictives », métaphores ou comparaisons. Les comparaisons de R. Roussel :

> Se fait-on pas à tout ? deux jours après la tonte,
> Le mouton aguerri ne ressent plus le frais;
> S'il peut rire, chanter, siffler, faire des frais,
> C'est que le perroquet se fait vite à la chaîne
> Qui — lui qui sait vieillir comme vieillit un chêne
> Quand nul n'est au persil des mets où son bec mord —
> Le rive à son perchoir et l'y rivera mort...
>
> (*Nouvelles Impressions d'Afrique.*)

sont images autant que ses descriptions présentées comme réelles :

> Rasant le Nil, je vois fuir deux rives couvertes
> De fleurs, d'ailes, d'éclairs, de riches plantes vertes
> Dont une suffirait à vingt de nos salons...
>
> (*Nouvelles Impressions d'Afrique.*)

Les métaphores ne font, comme on l'a vu, que juxtaposer deux images en une figure composite et ambiguë qui oscille entre élément propre et élément métaphorique :

> Où es-tu la plus sombre fleur de la vie noire
> Où es-tu bouche et dont le pli fait rage
> Sous le roux chiffonné par la cuisse du jour
> Qu'as-tu fait du démon plat qui nourrit les loups
> D'odeur ! ...
>
> (P. J. Jouve, *Matière céleste.*)

L'image a donc partie liée avec la face sensible du monde et l'on comprend la signification et la valeur de la conception classique de la littérature : la poésie est imitation, ou, selon les mots d'Aristote : « La poésie semble bien devoir en général son origine à deux causes, et deux causes naturelles. Imiter est naturel aux hommes et se manifeste dès leur enfance (l'homme diffère des autres animaux en ce qu'il est très apte à l'imitation et c'est au moyen de celle-ci qu'il acquiert ses premières connaissances) et, en second lieu, tous les hommes prennent plaisir aux imitations » [Aristote, *Poétique,* 1448 *b*]. Et, si l'on se souvient que le sensible nous apparaît surtout sous la forme du visible, on peut dire que, littérale ou figurée, l'image est « figurale » : elle donne à voir. D'où la tentation récurrente de considérer la poésie comme une peinture — *ut pictura poesis* —, tentation qui a triomphé dans la littérature classique et néo-classique : la poésie est avant tout représentation du monde, c'est-à-dire description.

Mais la description et le tableau ne sont pas seulement, selon les mots de Marmontel, « le miroir de l'objet même »; pour que la description soit poétique et autre chose que la description de l'anatomiste ou de l'ingénieur, il faut que la description présente le tableau de l'objet « dans ses détails les plus intéressants et avec les couleurs les plus vives ». Et c'est ici qu'intervient le détour par l'image « figurée » et non plus littérale; peut-être le statut de l'image n'apparaît-il nulle part avec plus de force que dans cette doctrine néo-classique où tout semble fait pour la neutraliser, pour la motiver et lui donner un sens rationnel et acceptable. Pour que l'objet apparaisse plus sensible, plus coloré, plus vivant, il faut le peindre « sous des traits qui ne sont pas les siens, mais ceux d'un objet analogue »; c'est que toutes les espèces de l'image figurée font, selon Aristote, voir les choses en acte, peignent les actions en train de se faire et donnent ainsi plus de vie, plus d'énergie au discours [Aristote, *Rhétorique,* 1410 *b* et 1411 *b*]. La peinture la plus évocatrice de l'objet passe donc par la présentation d'un autre objet : « L'expression qui fait image peint avec les couleurs de son premier objet la nouvelle idée à laquelle on l'attache, comme dans cette sentence d'Iphicrate : une armée de cerfs conduite par un lion est plus à craindre qu'une armée de lions conduite par un cerf; et dans cette réponse d'Agésilas, à qui l'on demandait pourquoi Lacédémone n'avait point de murailles : Voilà (en montrant ses soldats) les murailles de Lacédémone » [Marmontel, 1879, II, p. 263]. On peut, bien sûr, s'intéresser de tous les points de vue possibles aux liens qui existent entre le terme propre et le terme figuré, ou plus exactement entre la réalité première et la réalité autre qui lui est associée : point de vue de la ressemblance qui intéresse le théoricien classique; point de vue opposé de la distance ou de la surprise créée par le rapprochement, que privilégient les théoriciens baroques ou surréalistes; point de vue de la motivation psychologique, consciente ou surtout inconsciente, qui rend compte de la relation établie entre les deux réalités et qui conduit à toutes les interprétations psychanalytiques de l'image; point de vue métaphysique, qui fonde le rapprochement des deux réalités sur la structure de l'univers, qu'il s'agisse de l'existence de deux mondes, monde visible et monde invisible, microcosme et macrocosme, entre lesquels la poésie ouvre un passage (métaphysiques de l'âge romantique), de la présence de moments privilégiés où viennent se fondre les aspects multiples du monde et du moi (métaphysiques du Symbolisme) ou de la juxtaposition libérée des associations verbales qui nous donne la clef du noyau noir de notre moi (métaphysiques du Surréalisme). Tous ces points de vue, aussi riches et intéressants soient-ils, sont seconds par rapport au seul donné qui les fonde : la réalité même de ces liens entre deux objets et deux mots. Aussi, dans une première étape et avant de laisser la place à la diversité des interprétations, l'analyste doit-il les étudier systématiquement dans un poème, dans une œuvre, dans un genre ou une époque; car objets et mots propres et figurés se distribuent selon des séries qui se correspondent régulièrement. La chanson courtoise établit par exemple une correspondance systématique entre le service amoureux et le service féodal :

Hautement m'a assené
Amors a douce plesant,
Je li ai fet ligée :
Ses hons sui, d'un fié tenant
Qui au cuer me va poignant;
De grant dolor m'a fievé.

(Thomas Erier.)

A l'opposé de ces champs métaphoriques codés se situent les réseaux de métaphores individuelles les plus subjectives; dans la poésie d'Eluard, le passage se fait sans cesse de l'eau à la femme ou de la femme à l'eau :

> Tu te lèves l'eau se déplie
> Tu te couches l'eau s'épanouit
>
> Tu es l'eau détournée de ses abîmes...
>
> (« Tu te lèves... »)

Nous n'insisterons pas sur l'imaginaire des poètes, étude de thèmes, d'images ou d'archétypes qu'ont pratiquée de nombreux critiques depuis un demi-siècle, à partir des recherches de C. Spurgeon [1935] ou de W. Clemen [*Shakespeare Bilder*, Bonn, 1936], retrouvées en France par G. Bachelard ou, plus récemment, J.-P. Richard. Répétons seulement que l'analyse proprement linguistique doit précéder l'analyse interprétative et mettre en évidence les schémas d'images, ce qui implique au moins trois directions dans la recherche : séries de termes propres, qui servent de point de départ à l'image; séries de termes figurés qui délimitent les champs sémantiques dans lesquels sont prises les images; séries d'enchaînements, dans les cas plus complexes où il n'y a pas seulement terme propre et terme figuré, mais une véritable chaîne de termes qui s'appellent l'un l'autre et dont il n'est plus guère intéressant de savoir quel est le propre et quel est le figuré :

> Pourtant j'ai vu les plus beaux yeux du monde,
> Dieux d'argent qui tenaient des saphirs dans leurs mains,
> De véritables dieux, des oiseaux dans la terre
> Et dans l'eau, je les ai vus.
>
> Leurs ailes sont les miennes, rien n'existe
> Que leur vol qui secoue ma misère,
> Leur vol d'étoile et de lumière,
> Fleuve, plaine, rocher, leur vol,
> Les flots clairs de leurs ailes...
>
> (P. Eluard, *Leurs yeux toujours purs.*)

Dans la chaîne *yeux — dieux — argent — saphirs — oiseaux — eaux — ailes — vol — étoile — lumière — fleuve — plaine — rocher — vol — flot — aile*, jouent des liens phoniques *(yeux-dieux)*, des liens sémantiques de contiguïté *(oiseaux-ailes)* ou de ressemblance *(étoiles-lumière)*; l'image constituée d'un terme propre et d'un terme figuré n'apparaît plus que comme un cas particulier du phénomène général qu'est le renvoi, instrument fondamental de l'organisation symbolique. Il ne s'agit pas tellement du renvoi du signifiant à signifié que du renvoi généralisé tel que le concevait Peirce : un signe renvoie à un autre signe, puis à un autre, et cela indéfiniment [cf. G. G. Granger, *Langages et épistémologie*, Klincksieck, 1979; J. Molino, Métaphores, modèles et analogies dans les sciences, in *Langages*, 54, juin 1979]. On comprend alors pourquoi l'image poétique ne doit pas être séparée de toutes les conduites symboliques qui jouent un rôle intellectuel aussi bien que décoratif ou affectif : notre connaissance du monde ne procède que par perpétuelle comparaison, par l'application d'un ensemble d'objets sur un autre ensemble d'objets, le premier ensemble servant, parce qu'il est mieux connu, à décrire les propriétés de l'autre ensemble; l'image, sous toutes ses formes, n'est pas en droit différente des constructions de modèles utilisées dans les sciences. Connaître, pour le poète comme pour tout un chacun, c'est non pas réduire à l'identité du connu mais bien plutôt cerner et décrire en projetant sur l'objet une série de modèles qui se superposent sans se confondre : comme il y a de grands modèles d'explication scientifique qui dominent une époque — modèle newtonien au XVIIIe siècle, modèle électrique au XIXe siècle —, il y a de grands domaines métaphoriques qui organisent la poésie d'une ère culturelle.

L'image, si nous continuons à prendre le terme comme désignant la catégorie la plus générale avec toutes ses ambiguïtés, se présente donc sous les formes les plus diverses qui se distribuent selon la place qu'elles occupent sur les axes de variation que l'on peut résumer ainsi : propre/figuré (la description réaliste est propre, l'allégorie figurée); unité/dédoublement (la description, comme le mythe, se présente sur un seul niveau alors que la comparaison ou la métaphore en présentent deux); court et local/long et global (comparaison et métaphore s'opposent à l'allégorie, à la métaphore continuée et au mythe); concret/abstrait (le concepto baroque privilégie l'abstrait, à la différence du symbole ou du mythe, nécessairement concrets). Nous aboutissons ainsi à une famille de notions pour lesquelles il n'est pas possible de donner une définition générale qui les regroupe toutes, mais que l'on pourrait rassembler autour du thème suivant : l'impossibilité d'en rester à la chose même, ou, si l'on veut, l'inexistence de la chose même. Prenons comme point de départ l'image littérale, qui décrit un objet réel bien délimité; subrepticement, pour mieux présenter l'objet, va s'introduire un « comme » qui amène une comparaison :

> Dessous les rosiers blancs,
> la belle se promène,
> Blanche comme la neige,
> belle comme le jour.
>
> *(La Belle qui fait la mort pour son honneur garder.)*

Nous passons ainsi à la **comparaison,** dans laquelle deux réalités sont confrontées; c'est la forme la plus claire de l'image, puisque les deux domaines restent en principe posés comme séparés :

> Comme un bœuf bavant au labour
> le navire s'enfonce dans l'eau pénible...
>
> (Supervielle, « Comme un bœuf ».)

La comparaison peut facilement avoir un rôle structural, qu'il s'agisse de grandes comparaisons de l'épopée ou des comparaisons terme à terme entre deux séries indépendantes qui servent par exemple à organiser certains sonnets du XVIe siècle (« Comme on voit sur la branche, au mois de mai, la rose... » [Ronsard]).

Si les deux séries s'interpénètrent au lieu de rester séparées, on passe de la comparaison à la **métaphore** sous toutes ses formes, la forme de transition la plus intéressante étant sans doute la métaphore-juxtaposition qui naît du parallélisme grammatical entre deux phrases, comme dans ce vers de Hugo :

> Le peuple a sa colère et le volcan sa lave.

De cette forme intermédiaire entre comparaison et métaphore, on passe aux formes où les deux séries, propre et métaphorique, sont de plus en plus étroitement mêlées jusqu'au point extrême, où l'obscurité de la métaphore aboutit au trobar clus et à l'hermétisme :

Ar resplan la flors envèrsa
Pels treucans rancs e pels tèrtres,
Quels flors ? Nèus, gèls e conglapis
Que còtz e destrenh e trenca;
Don vei mórz quils, critz, brais, ciscles,
en Fuèlhs, en rams e en giscles.
Mar mi ten vert e jauzen Jòis
Er quan vei secs los dolens cròis.

(Raimbaud d'Orange, « Ar resplan... »)

A côté de la métaphore, il faut faire une place à part à la **pointe,** au **concepto** baroque, qui rapproche deux éléments moins pour leur valeur descriptive que pour leur valeur proprement intellectuelle. Dans les *Illuminations*, il est fréquent que la dernière phrase tombe comme une pointe, énigme à résoudre, renversement imprévu, paradoxe ou question : « La musique savante manque à notre désir » *(Conte)*; « J'ai seul la clef de cette parade sauvage » *(Parade)*; « Trouvez Hortense » *(H)*, etc. La continuité qui s'établit entre le concepto baroque et la métaphore surréaliste nous oblige à dégager l'importance de la dimension abstraite de la figure; le principe de rapprochement peut n'avoir aucune signification visuelle ou sensible et l'on voit ici l'erreur qui consisterait à vouloir réduire tout le figuré au visible figuratif :

Je nommerai désert ce château que tu fus,
Nuit cette voix, absence ton visage,
Et quand tu tomberas dans la terre stérile
Je nommerai néant l'éclair qui t'a porté.

(Y. Bonnefoy, *Vrai nom.*)

C'est cette même importance de l'abstrait et de l'intellectuel qui apparaît dans l'**emblème,** et dans l'**allégorie.** L'emblème est « un petit tableau qui exprime allégoriquement une pensée morale ou politique, comme lorsqu'on a fait de la Fortune une femme svelte et légère, un pied en l'air, touchant à peine du bout de l'autre pied un point d'une roue ou d'un globe, et tenant dans ses mains un voile enflé par le vent » [Marmontel, 1879, t. II, p. 58]; c'est donc « une métaphore qui parle aux yeux », mais à laquelle on associait communément une brève formule qui en résumait le sens et une brève poésie qui l'illustrait. Certaines des fables de La Fontaine correspondent exactement à la définition de l'emblème, comme *Les Frelons et les Mouches à Miel*, qui commence par la formule-devise « A l'œuvre on connaît l'artisan », se continue par le récit (« Quelques rayons de miel sans maître se trouvèrent... ») et se termine par une réflexion-commentaire d'ordre moral (« Plût à Dieu qu'on réglât ainsi tous les procès... ») [cf. G. Couton in *La Fontaine*, *Fables choisies*, Garnier, 1962, p. VIII]. Emblème et allégorie possèdent en commun le même caractère fondamental : elles représentent grâce « aux couleurs des choses sensibles » des idées abstraites « qui, sans cela, seraient vagues, faibles, confuses »; mais en même temps, la signification abstraite sous-jacente doit rester à chaque instant clairement lisible. Aussi est-ce l'organisation même des idées abstraites qui doit guider le développement du récit, dont le déroulement ne doit jamais être autonome : les personnages du *Roman de la Rose* n'agissent jamais indépendamment des relations qu'entretiennent entre elles les idées abstraites qu'ils représentent. Aussi loin que soient de nous aujourd'hui les charmes de l'allégorie, il faut essayer de comprendre le plaisir, intellectuel et proprement poétique, que les amateurs du Moyen Age ou de l'époque classique pouvaient prendre aux allégories (littéraires ou plastiques); elles représentent un cas de figure essentiel dans la famille de l'image, le cas dans lequel le passage du domaine figuré au domaine propre se fait terme à terme, l'articulation du domaine propre — abstrait — imposant sa structure au domaine figuré, et ce dernier apparaissant cependant seul à la surface du texte. C'est bien ce qu'explique La Fontaine au début de sa fable allégorique *L'Amour et la Folie* :

> Tout est mystère dans l'Amour,
> Ses Flèches, son Carquois, son Flambeau, son Enfance.
> Ce n'est pas l'ouvrage d'un jour
> Que d'épuiser cette Science.
> Je ne prétends donc point tout expliquer ici.
> Mon but est seulement de dire, à ma manière,
> Comment l'Aveugle que voici
> (C'est un Dieu), comment, dis-je, il perdit la lumière...

La différence entre allégorie et symbole vient précisément de ce que, dans le symbole, les autres niveaux de signification auxquels il renvoie n'imposent pas leur organisation à la structure de surface du texte : le symbole est structuré par les caractères qui lui sont propres, sans que soit attachée à chacun de ses caractères une signification seconde qui lui corresponde systématiquement. Aussi l'Albatros de Baudelaire est-il plus proche de l'emblème et de l'allégorie que du symbole; en revanche la Maison du Berger de Vigny est un symbole complexe auquel il est impossible de donner une signification unique. Le symbole est susceptible de prendre des formes diverses, selon qu'il est plus ou moins reconnu et codifié dans une culture : symboles conventionnels d'une tradition particulière comme la balance de la justice; symboles largement répandus et à fondement peut-être naturaliste et universel comme les symboles religieux de l'arbre et de la croix ou les symboles sexuels; symboles individuels dans lesquels un poète chiffre une situation essentielle de son existence, comme l'image féminine où se mêlent, pour Nerval, la mère et les femmes aimées :

> Aimez qui vous aima du berceau dans la bière;
> Celle que j'aimai seul m'aime encor tendrement :
> C'est la Mort — ou la Morte... O délice! ô tourment!
> La rose qu'elle tient, c'est la Rose trémière.
>
> (Nerval, *Artémis*.)

Mais sa polysémie permet toutes les réactivations et les utilisations les plus personnelles de symboles traditionnels; pensons au symbole du Cerf tel qu'il apparaît dans la poésie de P. J. Jouve : « Le Cerf est un complexe de symboles : sexe, mort, aussi sacrifice et délivrance. » Et P. J. Jouve décrit admirablement cette consistance propre du symbole, irréductible à toute explication qui reviendrait à vouloir en nier l'existence matérielle et opaque : « Dans son expérience actuelle, la poésie est en présence de multiples condensations à travers quoi elle arrive à toucher au *symbole* — non plus contrôlé par l'intellect, mais surgi, redoutable et réel. C'est comme une matière qui dégage ses puissances » [Avant-propos à *Sueur de Sang*].

Le **mythe** a à peu près le même rapport avec le symbole que l'emblème avec l'allégorie : au lieu d'être un objet, un mot ou une image isolés et comme immobiles, c'est une histoire articulée qui a sa logique propre, même si une ou plusieurs significations divergentes peuvent lui être attribuées au second degré. Le mot n'implique aucun jugement sur la valeur de vérité de l'histoire racontée mais souligne seulement les traits constitutifs suivants : organisation spécifique, valeur de modèle pour une culture donnée, possibilités multiples d'application et d'explication. Le poète peut soit reprendre un schéma encore vivant dans sa culture : l'histoire sacrée du christianisme a ainsi fourni un réservoir inépuisable, depuis les Vies de Saints jusqu'aux méditations sur la Passion de Jésus-Christ; soit tenter de créer lui-même une histoire mythique dans laquelle les fantasmes personnels réussissent à prendre une forme et une valeur paradigmatiques : le recueil d'Y. Bonnefoy, *Du mouvement et de l'immobilité de Douve*, est bien construit autour d'un mythe, histoire d'un voyage et d'une transformation dont les étapes sont fidèlement enregistrées :

> Close la bouche et lavé le visage,
> Purifié le corps, enseveli
> Ce destin éclairant dans la terre du verbe,
> Et le mariage le plus bas s'est accompli.
>
> (Y. Bonnefoy, *Vrai Corps*.)

Un des recours les plus caractéristiques de la poésie du XXe siècle a été sans doute de vouloir construire, à partir d'éléments empruntés à toutes les mythologies du passé ou d'autres cultures, des mythes modernes dans lesquels puisse se cristalliser l'expérience, en même temps éclatée et dépourvue d'une signification assurée, de l'homme et du créateur d'aujourd'hui : c'est le trait commun aux œuvres par ailleurs si différentes de P. Valéry, T. S. Eliot, R. M. Rilke ou F. Garcia Lorca.

Symbole et mythe s'opposent à l'emblème et à l'allégorie en ce que, dans le premier cas, rien ne garantit le sens second plus ou moins clairement visé par le poète. Les deux couples représentent ainsi deux formes polaires de l'image : d'un côté l'image lisible où la signification est imposée par le texte qui explicite le lien qui unit terme propre et terme figuré :

> Mon âme est un tombeau que, mauvais cénobite,
> Depuis l'éternité, je parcours et j'habite.
>
> (Baudelaire.)

de l'autre l'image opaque où rien ne vient aider le lecteur à décrypter le sens :

> Un tonnerre de verrous
> répercuté
> jusqu'à la mer.
>
> (J. Dupin, *Ou meurtres.*)

Entre ces deux extrêmes se placent tous les jeux du double sens ou, pour reprendre le terme devenu célèbre depuis la parution de l'ouvrage de W. Empson [*Seven Types of Ambiguity*, 1931], d'ambiguïté. Celle-ci n'est donc pas la clef de la poésie, elle ne fait que désigner un ensemble très divers de procédés littéraires qui correspondent surtout à un moment donné de l'histoire de la poésie : entre la transparence de la comparaison épique ou de la métaphore ornementale et l'obscurité de l'image hermétique, l'ambiguïté est l'arme d'une poésie de l'entre-deux; il y a ambiguïté, et plus généralement, multiplicité de sens chaque fois que la fonction de l'image n'est pas explicitement posée par le texte :

> Du rouge au vert tout le jaune se meurt.
>
> (G. Apollinaire, *Les Fenêtres.*)

Même lorsque l'image est clairement attachée au texte et sa fonction bien précisée, l'existence côte à côte du propre et du figuré tire l'esprit du lecteur dans des directions divergentes, comme c'est le cas dans l'image banale du silence vu comme un oiseau de la nuit :

> ... J'écoute, à demi transporté,
> Le bruit des ailes du Silence,
> Qui vole dans l'obscurité...
>
> (Saint-Amant, *Le Contemplateur.*)

On peut même se demander si l'existence d'un double registre — propre et figuré — est nécessaire pour produire cet effet d'activation de l'imagination. Nous revenons ainsi au sens premier de l'image, tableau ou description et à la recommandation de la vieille Poétique : il faut que l'image soit vive et représente les choses et les êtres en mouvement. Image propre et image figurée sont deux moyens au service d'une même fin : activer ou réactiver l'imagination. A côté des images construites à partir d'un double registre de référence — propre et figuré —

bergère le troupeau bêle
ô tour Eiffel des ponts

il faut faire place à des images à registre unique. Que l'image à ce moment-là soit réelle ou fictive n'a aucune importance, l'essentiel est qu'elle donne à voir; de l'image double nous passons à une poésie sans image, à une poésie de la vision : « Il s'agit bien de *cet* [en *italiques* dans le texte] objet : tête de cheval plus grande que nature où s'incruste toute une ville, ses rues et ses remparts courant entre les yeux, épousant le méandre et l'allongement du museau. Un homme a su construire de bois et de carton cette ville, et l'éclairer de biais d'une lune vraie, il s'agit bien de *cet* objet : la tête en cire d'une femme tournant échevelée sur le plateau d'un phonographe. »

Tel est le texte qui ouvre le recueil poétique *Anti-Platon* d'Y. Bonnefoy. Référé à nos catégories ordinaires, c'est une suite désordonnée d'images énigmatiques. Mais pourquoi ne pas se situer d'emblée dans l'univers du texte ? La répétition de *il s'agit bien de cet objet*, les italiques qui insistent sur le déictique *cet*, les modalisateurs par lesquels l'écrivain affirme la véracité de ses paroles, nous invitent à abandonner la confrontation avec le réel et à accepter la vision que construit le texte. Si le principe de l'opposition du propre et du figuré est inscrit dans le langage, il n'y est ni donné, ni nécessaire, mais naît éventuellement de la construction sémantique d'un texte, qui est elle-même le résultat de phénomènes de tous niveaux, métriques, phoniques, syntaxiques, lexicaux, rhétoriques...

Mais le triomphe de l'image est inséparable d'une crise de langue, qui marque l'écart maximal entre la langue poétique et la langue courante. L'évolution s'est faite en deux étapes : l'étape de la libération, libération par rapport aux contraintes imposées — quelle que soit leur origine —, et l'étape du « dérèglement de tous les sens ». D'un jeu aux marges du système, lorsque le poète utilise un procédé existant dans la langue, mais dont il étend le domaine d'application, on passe à une poésie dans laquelle toutes les contraintes de la langue sont, ou peuvent être violées systématiquement : orthographe, ponctuation, création morphologique, ordre des mots, règles de combinaison et de sélection, etc. Et pourtant le poète n'écrit pas n'importe quoi. On se trouve en effet dans une situation qui nous paraît caractéristique de tous les arts contemporains, ce que l'on pourrait appeler « isolement des variables » et « jeu sur les variables » [cf. Molino, 1975] : tout ce qui a constitué à un moment donné la poésie peut être pris comme élément définitoire et utilisé indépendamment des autres pour créer une poésie. Un exemple clair de ces procédés est fourni par le décompte mécanique des syllabes, suivi d'un passage à la ligne obligatoire, tel qu'on le trouve chez D. Roche. Le poète n'a donc plus de choix qu'entre deux solutions : ou s'abstenir et se taire, ou construire un poème dans lequel il conserve ne serait-ce qu'une règle. Grâce à elle, et quelles que soient par ailleurs les violences faites aux règles traditionnelles ou à la langue, la poésie se manifeste précisément comme telle, c'est-à-dire comme autre que la langue courante. Nous voyons ici une justification supplémentaire de notre définition de la poésie : lorsque le vers a disparu, le poète se donne des conventions qui jouent le rôle de la métrique traditionnelle. La crise de la langue dans la poésie n'est pas seulement dé(con)struction, elle est en même temps instauration d'une règle, illustrant encore une fois la dialectique de l'autre et du même, de l'écart et de la répétition.

Ouvrages de base : Fontanier, 1968, 1re éd. 1818-1830; Lausberg, 1960; Tamba, 1981; *Langages*, 1979.

Chapitre V

RÉPÉTITIONS ET PARALLÉLISMES

> Je te dis toujou la mesme chose,
> parce que c'est toujou la mesme chose,
> et si ce n'estoit pas toujou la mesme chose,
> je ne te dirois pas toujou la mesme chose.
>
> (Molière, *Dom Juan.*)

0. *Considérons ce passage d'*Andromaque :

> Dois-je les oublier, s'il ne s'en souvient plus ?
> Dois-je oublier Hector privé de funérailles,
> Et traîné sans honneur autour de nos murailles ?
> Dois-je oublier mon père à mes pieds renversé,
> Ensanglantant l'autel qu'il tenait embrassé ?
> Songe, songe, Céphise, à cette nuit cruelle
> Qui fut pour tout un peuple une nuit éternelle...

Il y a dans ces vers de nombreuses répétitions : d'abord les répétitions métriques et rythmiques qui constituent l'organisation même du vers et que nous avons analysées dans un précédent chapitre; puis des répétitions phoniques (par exemple « ou » dans le premier vers). Ces répétitions, les unes obligatoires et les autres facultatives, sont sans doute ce qui donne à l'auditeur le sentiment immédiat qu'il est en face de la poésie et cela, avant même qu'il ait cherché à comprendre ce qu'il entend. Pour l'instant, nous n'avons pas dépassé la couche phonique du langage. Mais il y a dans les vers de Racine d'autres répétitions : de mots, de groupes de mots *(Dois-je oublier, songe, nuit)* et de schémas de phrase, puisque les phrases commençant par *Dois-je oublier* ont toutes la même structure morpho-syntaxique : groupe nominal *(Hector, mon père)* suivi de deux participes *(privé, traîné ; renversé, ensanglantant)* et que ce sont des interrogations.

Il serait possible de rassembler ces diverses formes et de voir dans le phénomène de répétition au sens le plus général du terme une des caractéristiques essentielles de la poésie. Il nous semble plus juste et plus efficace de les distinguer selon le niveau linguistique auquel elles opèrent; c'est pourquoi nous réserverons le nom de répétition pour les récurrences qui apparaissent au-delà du niveau phonique du langage : récurrences de mots, de groupes de mots, ou de schémas de phrases.

1. RÉPÉTITIONS

1.1. *Répétition des mêmes mots*

Pour analyser les différentes configurations que peuvent présenter des mots répétés, il est commode de faire appel au savoir rhétorique, qui en a élaboré une classification dans cette partie de l'élocution que l'on appelle, selon les cas, figures de mots ou figures d'élocution; ce que Fontanier, en particulier, appelle figure d'élocution correspond assez exactement aux diverses formes de la répétition. On distinguera donc, à la suite de la tradition rhétorique, les répétitions en contact, les répétitions comme parenthèse et les répétitions à distance. Dans les traités de rhétorique, les répétitions sont définies par rapport à des unités linguistiques (période, membre, colon); en poésie, les répétitions sont plus normalement définies par rapport aux unités métriques (strophe, vers, hémistiche) : on peut donc reprendre les termes rhétoriques en les transposant des unités linguistiques aux unités métriques. Prenons l'exemple de la **reduplicatio,** définie comme répétition immédiate de deux termes, le premier situé à la fin d'une unité, le second au début de l'unité suivante, soit

/ ... x / x ... /

Au lieu de définir l'unité comme membre de la phrase ou de la période, on la définira comme vers ou hémistiche :

> Quand pour venir ici j'abandonnai la France,
> La France et mon Anjou...
>
> (Du Bellay, « Malheureux l'an, le mois, le jour, l'heure et le point... »)

on a ainsi affaire à un couplage dans lequel une configuration linguistique est associée à une configuration métrique. Par ailleurs, les configurations sont reconnues et classées à partir des places qu'elles occupent dans les unités métriques auxquelles elles appartiennent et qui sont les places marquées de ces unités, début et fin. Elles sont aussi liées par des relations de correspondance et de symétrie directe, inverse, etc. Mais nous ne développerons pas ici cette analyse purement formelle, préférant nous en tenir aux figures répertoriées, qui ont ainsi une présomption de pertinence poïétique et esthésique.

1.1. A) *Répétitions en contact.* — La forme la plus simple de répétition en contact est celle dans laquelle le même mot est répété immédiatement, les deux occurrences étant au maximum séparées par une insertion brève. C'est le cas dans le vers 6 du fragment de Racine cité au début du chapitre (« Songe, songe... »).

On distinguera de cette **geminatio** la **reduplicatio** (appelée aussi **anadiplose**) dont on a donné tout à l'heure un exemple et dans laquelle les deux occurrences successives du même mot sont séparées par une frontière d'élément (hémistiche, vers). Comme le fait remarquer Lausberg [1960, p. 314], cette figure est souvent associée à des noms propres ou à des appellatifs; la répétition, marquée par la rupture qu'introduit la frontière d'unité métrique, correspond bien à l'insistance avec laquelle un interlocuteur reprend le nom d'une personne :

> Vous venez de bannir le superbe Pallas,
> Pallas dont vous savez qu'elle soutient l'audace.
>
> (Racine, *Britannicus.*)

La **gradatio** ou **concaténation** est constituée de plusieurs figures de reduplicatio s'enchaînant l'une à la suite de l'autre, selon le schéma : | ... x | x ... y | y ... z | z ... En voici un exemple emprunté à Jean Tardieu :

> Le ciel était de nuit
> La nuit était de plainte
> La plainte était d'espoir.
>
> (J. Tardieu, *Etude en de mineur.*)

Dans ce cas, la gradatio est une espèce de substitut de la rime, ainsi d'ailleurs que le parallélisme de construction des différents vers. Mais la gradatio peut accompagner la rime et produire des figures utilisées par les Grands Rhétoriqueurs, rimes enchaînées, annexées et fratrisées.

1.1. B) *Répétition en parenthèse.* — Si le mot répété se trouve à la fois au début et à la fin d'une unité, on a affaire à la **redditio,** selon le schéma : | x ... x | :

> Mortelle, subissez le sort d'une mortelle...
>
> (Racine, *Phèdre.*)

1.1. C) *Répétition à distance.* — La répétition peut aussi se faire à distance, et, selon la place qu'occupent les mots répétés dans les unités auxquelles ils appartiennent, on distingue l'**anaphore,** l'**épiphore** et la **complexion** (ou **symphore**). Dans l'**anaphore,** le mot répété se trouve à l'initiale de deux (ou plus) unités successives selon le schéma : | x ... | x ... | :

> Rome, l'unique objet de mon ressentiment!
> Rome, à qui vient ton bras d'immoler mon amant!
> Rome qui t'a vu naître, et que ton cœur adore!
> Rome enfin que je hais parce qu'elle t'honore!
>
> (Corneille, *Horace.*)

L'anaphore s'accompagne souvent de parallélisme, en particulier lorsque le mot répété en tête de phrase est une conjonction.

Dans l'**épiphore,** le mot répété se trouve en fin d'unités qui se suivent, selon la formule | ... x | ... x | ; on comprend pourquoi cette possibilité de la rhétorique est presque exclue de la poésie, puisqu'elle se rencontre avec les exigences de la rime : il s'agirait de faire rimer un mot avec lui-même, à la fin du vers ou à l'hémistiche. Cette possibilité n'est donc exploitée de façon systématique qu'avant la fixation des règles classiques concernant la rime (Grands Rhétoriqueurs) et après leur disparition progressive :

> Quand nous pénétrerons la gueule ed' de travers
> dans l'empire des morts
> Avecque nos verrues nos poux et nos cancers
> comme en ont tous les morts
>
> (R. Quéneau, *L'instant fatal.*)

Plus acrobatique encore que l'épiphore est la **complexio** ou **symploce,** combinaison d'anaphore et d'épiphore

| x ... y | x ... y |

dont on peut trouver quelques exemples rhétoriques, mais guère d'exemples poétiques, si ce n'est lorsque la complexio est une forme de répétition de vers avec une variation qui laisse inchangés le début et la fin (il s'agit alors d'une forme intermédiaire entre répétition d'unité et parallélisme, que nous retrouverons plus loin).

La répétition d'un même mot peut s'opérer sans régularité décelable, sans coïncidence systématique avec les unités métriques : répétition aléatoire, pourrait-on dire, qui contribue à la cohésion du poème; telle est, par exemple, la répétition des mots *mort* et *mourir* dans *La Jeune Captive* d'A. Chénier. Certains traités de rhétorique donnaient le nom de **ploce** à cette figure, qui a sa place dans le théâtre français classique, en particulier lorsqu'il s'agit de noms propres [cf. Schérer, 1950, p. 337].

1.2. *Répétition de mots proches par le son*

Au lieu de répéter un même mot, le rhéteur et le poète peuvent reprendre un mot par un autre mot qui lui est apparenté par le son. La forme de transition entre les deux types est représentée par la répétition d'un même signifiant qui correspond à deux homonymes; c'est la figure que l'on appelle souvent **antanaclase** (mais rappelons que le vocabulaire de la rhétorique est très variable) : Fontanier la définit comme « la répétition d'un même mot pris en différents sens, propres ou censés tels » [Fontanier, p. 348]. On pourrait pousser plus loin la classification, en distinguant homophonies et homographies, homonymes d'origine différente et homonymes nés d'une spécialisation extrême de deux sens de plus en plus divergents, etc. Toutes les formes se distribuent sur un continu qui va du pur jeu de mots (calembour) à la variation la plus fine sur les diverses nuances du sens d'un même mot.

D'un côté le pôle du jeu : rimes équivoques des Grands Rhétoriqueurs et des fantaisistes de la fin du XIXe siècle, jeux de mots à la rime (cf. le fameux « amarante », « de ma rente » des *Femmes savantes*). C'est à cause de cet usage ludique que Fontanier écrit : « Quoi qu'il en soit, l'Antanaclase n'est employée dans tous ces mêmes exemples, que pour la rime, que par manière de plaisanterie, ou que par une sorte de licence poétique, et nous n'avons garde de l'y considérer comme une beauté » [Fontanier, 1968, p. 349]. D'un autre côté, ce que Fontanier considère comme le pôle sérieux de la figure, c'est-à-dire la reprise d'un même mot, la première fois dans un sens habituel et la seconde dans une acception générale, définitoire et emphatique :

... un père est toujours père,
Rien n'en peut effacer le sacré caractère.

(Corneille, *Polyeucte*.)

C'est la figure appelée **distinctio,** que l'on qualifie de **reflexio** lorsque la reprise est, dans un dialogue, exprimée par un autre interlocuteur :

Prenez un bon conseil ! — Le conseil en est pris;

(Corneille, *Le Cid*.)

Si la reprise ne porte pas sur un signifiant identique, mais sur deux mots voisins par le son, on parlera, selon les cas, de **polyptote,** de **dérivation** et de **paronomase.** Le **polyptote** « consiste à employer dans la même phrase ou période plusieurs formes accidentelles d'un même mot, c'est-à-dire plusieurs de ces formes que l'on distingue en grammaire par les noms de cas, de genres, de nombres, de personnes, de temps et de modes » [Fontanier, p. 352] :

Après avoir souffert, il faut souffrir encore;
Il faut aimer sans cesse après avoir aimé.

(Musset, *Nuit d'Août*.)

Il paraît que la forteresse a des canons
Qui garderaient la route du haut de certain mont.
Les soldats sur la tête ont du cuir en canon
Devant dix-huit cafés ils boivent des canons.

(M. Jacob, *Honneur de la Sardane et de la Tenora*.)

Dans cet exemple il y a polyptote (canon-canons) et homonymie (trois sens différents du même mot). La **dérivation** consiste à employer successivement « plusieurs mots dérivés de la même origine » :

> Vous vous abandonnez au crime en criminel.
>
> (Racine, *Andromaque.*)

> Vivez, froide Nature, et revivez sans cesse...
>
> (Vigny, *La Maison du Berger.*)

Supervielle utilise fréquemment, dans un même vers, ou deux vers qui se suivent, des couples de verbes de même racine :

> Quand ils tournent et retournent...
>
> (Supervielle, *Chanson.*)

> Tous ces insectes qui défont
> Et qui refont leur fourmilière.
>
> (Supervielle, *Mathématiques.*)

En partie confondue avec la dérivation est la **figure étymologique,** qui occupe en même temps le domaine de l'**antanaclase;** il s'agit de rapprocher deux mots homonymes ou proches par le son en suggérant une origine commune qui, dans la conception médiévale du monde en particulier, est un argument fondant et justifiant un rapprochement sémantique inattendu : c'est le cas des trois mots — amer (de *amare*), amer (de *amarum*) et mer — réunis dans *Tristan* et dans le *Cligès* de Chrétien de Troie (vers 540 et s.). Le rapprochement se fait preuve par l'étymologie et rejoint les mécanismes de l'étymologie populaire, pour laquelle le souci (fleur, de *solsequia*) est le symbole du souci (de *soucier*) :

> Recevez ce Soucy, qu'aujourd'hui je vous donne,
> Pour ceux que tous les jours me donnent vos beaux yeux.
>
> *(La Guirlande de Julie.)*

Avec la **paronomase,** il ne s'agit plus que d'une homophonie partielle entre les mots qui se succèdent. L'homophonie peut porter sur une partie quelconque des mots, et ceux-ci peuvent se trouver dans toutes les configurations que nous avons déjà analysées à propos des répétitions de mots (geminatio, etc.). Comme ici aucune contrainte précise n'est définie, la paronomase va de l'homophonie presque complète à l'écho allusif (simple assonance de la fin de deux termes par exemple) :

> Et la nuiz et li bois li font
> Grant enui, mes plus li enuie
> Que li bois ne la nuiz, la pluie.
>
> (Chrétien de Troye, *Le Chevalier au Lion.*)

1.3. *Répétition de mots proches par le sens : synonymie et accumulation*

De la répétition exacte d'un même mot, nous sommes passés, par glissements successifs, à la reprise de mots proches par le son; les mêmes glissements peuvent se produire dans le domaine du sens, et l'on passe ainsi à toutes les formes de reprise synonymique (synonymie rhétorique), pour laquelle se rencontrent en principe tous les cas de figure distingués antérieurement. Cependant le cas le plus fréquent est celui de la **geminatio,** dans laquelle deux ou trois termes synonymes se suivent immédiatement :

> Que Sévère en fureur tonne, éclate, foudroie...
>
> (Corneille, *Polyeucte.*)

Si les termes qui se suivent ne sont pas de simples synonymes, il s'agit alors d'**accumulation.** L'accumulation au contact est appelée **énumération :**

> Vin! Hydromel! Kummel! Whisky! Zythogala!
> J'ai bu de tout! ...
>
> (G. Fourest, *Pseudo-sonnet imbriaque et désespéré.*)

> ... Quoi donc! qui vous arrête,
> Seigneur ? — Tout : Octavie, Agrippine, Burrhus,
> Sénèque, Rome entière et trois ans de vertus.
>
> (Racine, *Britannicus.*)

Dans ces deux exemples, le terme générique dont les éléments de l'accumulation constituent des parties apparaît soit au début

(« Tout »), soit à la fin (« J'ai bu de tout ») de l'énumération. L'énumération apparaît aussi sans terme générique :

Le lait tombe : adieu veau, vache, cochon, couvée.

(La Fontaine, *La Laitière et le Pot au lait.*)

Les termes sont rangés selon l'ordre d'une valeur croissante (c'est le cas lorsque le terme collectif vient à la fin), ou plus rarement, selon un ordre décroissant.

Deux stratégies sont possibles pour établir des liens entre les termes : juxtaposition de l'**asyndète** (cf. le vers de La Fontaine cité plus haut) ou, ce qui est la construction normale du français, asyndète des premiers termes et liaison par la conjonction de coordination avant le dernier terme; on trouve fréquemment le schéma à trois termes T_1, T_2 et T_3 :

On les chante sur les bords
Du Rhin, du Tibre et de la Loire.

(Maynard, « Ces antres et ces rochers... »)

Il y a **polysyndète** lorsque l'élément de coordination (identique ou chaque fois différent) est repris devant chaque terme de l'énumération :

Voici la gerbe immense et l'immense liasse,
Et le grain sous la meule et nos écrasements,
Et la grêle javelle et nos renoncements,
Et l'immense horizon que le regard embrasse.

(Péguy, *Présentation de la Beauce à Notre-Dame de Chartres.*)

L'énumération de termes juxtaposés est un procédé caractéristique de la poésie moderne. Dans la poésie baroque ou classique, l'énumération est fondée, c'est-à-dire que les termes ont entre eux un lien sémantique bien défini : parties d'un tout (beautés par exemple de la femme aimée) ou arguments en faveur d'une thèse (série de métaphores illustrant la brièveté de la vie humaine). En revanche, avec la poésie moderne apparaît une « énumération chaotique », énumération asyndétique qui fait se succéder les mots ou les expressions les plus divers — on a pu, dans ce cas, parler de poésie de catalogue [cf. L. Spitzer, La enumeración caótica en la poesía moderna, in *Lingüística e historia literaria*, Madrid, Gredos, 1968]; mais le sens de ces énumérations chaotiques peut être très différent, comme le prouvent les exemples suivants :

Kherso, Abbazzia, Fiume, Veglia, villes neuves,
Ou du moins qui paraissez neuves, sans qu'on sache
Pourquoi; Zara, Sebenico, Spalato et Raguse...

(V. Larbaud, « A Colombo... »)

Ceux qui couvrent des toits
Ceux qui couvrent des femmes
Ceux qui se pendent
Cambouis vieux pneus
Ceux qui roulent pourris
Ceux qui éclatent gorgés...

(Chr. Prigent, *Power/Powder.*)

Entre la synonymie et l'accumulation, il faut faire une place à la **correction,** « figure par laquelle on rétracte en quelque sorte ce qu'on vient de dire à dessein, pour y substituer quelque chose de plus fort, de plus tranchant ou de plus convenable » [Fontanier, 1968, p. 366] :

J'aime, que dis-je aimer ? j'idolâtre Junie.

(Racine, *Britannicus.*)

La correction accompagne souvent la métaphore sous la forme de l'ikon.

Les schémas d'accumulation que nous venons d'examiner sont tous des schémas de coordination, dans lesquels les termes coordonnés (la juxtaposition asyndétique n'est qu'un cas particulier de la coordination) sont des mots de même catégorie et de même fonction. Mais il existe aussi une accumulation de subordination, dont nous retiendrons un type, l'épithète — le mot étant pris dans son sens rhétorique et non dans son acception grammaticale moderne : « En éloquence et en poésie on appelle épithète un adjectif, sans lequel l'idée principale serait suffisamment exprimée, mais qui lui donne ou plus de force, ou plus de noblesse, ou plus d'élévation, ou quelque chose de plus fin, de plus délicat, de plus touchant, ou quelque singularité piquante, ou une couleur plus riante et plus vive, ou quelque trait de caractère plus sensible aux yeux de l'esprit » [Marmontel, 1879, t. II, p. 86; cf. Fontanier, 1968, p. 324]. Relisons avec Marmontel quelques vers du récit de Théramène, dans *Phèdre* :

> Un effroyable cri, sorti du sein des flots,
> Des airs en ce moment a troublé le repos;
> Et du sein de la terre une voix formidable
> Répond, en gémissant, à ce cri redoutable.
> Jusqu'au fond de nos cœurs notre sang s'est glacé;
> Des coursiers attentifs le crin s'est hérissé.
> Cependant sur le dos de la plaine liquide
> S'élève à gros bouillons une montagne humide.
> L'onde approche, se brise, et vomit à vos yeux
> Parmi des flots d'écume un monstre furieux.
> Son front large est armé de cornes menaçantes.
> Tout son corps est couvert d'écailles jaunissantes.
> Indomptable taureau, dragon impétueux,
> Sa croupe se recourbe en replis tortueux.

Ces treize adjectifs font partie du ton qui correspond traditionnellement au récit épique tel qu'il a été fixé pour la culture occidentale par les poèmes homériques et l'*Enéide* : noms propres et noms communs sont accompagnés d'un adjectif qui sert à la fois de marque de reconnaissance — Eumée le noble porcher — et de caractérisation descriptive — Mycènes riche en or. On peut disposer les treize adjectifs du texte en trois classes selon qu'ils sont plus ou moins nécessaires à l'identification de l'objet auquel ils renvoient : *liquide* et *humide* sont absolument nécessaires, car la plaine liquide (la mer) et la montagne humide (la vague) n'ont pas le même sens que les substantifs isolés plaine et montagne; ce ne sont donc pas des épithètes, mais de simples adjectifs, selon les principes de la rhétorique classique. En revanche, des adjectifs comme *attentifs*, *furieux*, ne sont pas indispensables, mais sont encore liés à la situation qu'ils évoquent de manière imagée; ce sont déjà des épithètes, que l'on pourrait appeler motivées. Enfin des adjectifs comme *larges*, *menaçantes*, *jaunissantes*, *impétueux* et *tortueux* sont surabondants et ne font que donner plus de couleur, plus de grandeur au tableau évoqué.

Un degré de plus et l'épithète sera proprement pléonastique, reprenant la caractéristique la plus immédiate de l'objet :

> ... et de jeunes abeilles
> Venaient cueillir le miel de ses lèvres vermeilles.

(A. Chénier, « Là reposait l'Amour, et sur sa joue en fleur...)

D'un côté donc, les épithètes déterminatives qui restreignent et modifient le sens du substantif (liquide, humide) ; de l'autre les épithètes « pictives » qui décrivent et peignent. Pour le poète classique et néo-classique, l'épithète est un ornement, mais un ornement nécessaire pour donner à la poésie cette « étrangeté » qui l'éloigne de la langue de tous les jours. Tout le problème est de placer les épithètes où et quand il faut, en évitant d'en faire des chevilles, remplissages inutiles auxquels semblent souvent condamnés les adjectifs en -able placés à la rime :

> Comme un tigre impitoyable
> Le mal a brisé mes os,
> Et sa rage insatiable
> Ne me laisse aucun repos.

(J. B. Rousseau).

L'épithète a-t-elle disparu de la poésie après l'âge classique ? Il est permis d'en douter et la poésie la plus moderne retrouve l'épithète de la tradition :

> le cuir mince le lent
> les points le touchant le sol
> viril outil en surface
> gant visqueux
> la laine colle les doigts creux
> [. . . . .]
> l'appui
> la pluie mouillée

(Michel Vachey, *Dépenses en appareillages.*)

Toute une série de stratégies sont possibles pour renouveler l'épithète : celle de Lautréamont qui reprend sardoniquement les épithètes les plus usées mais donne à des adjectifs inattendus, parce que trop précis, une valeur d'épithète *(D'abondants cheveux noirs, séparés en deux sur la tête, tombaient en tresses indépendantes sur des épaules marmoréennes)* ; celle des *Illuminations*, dans lesquelles Rimbaud s'appuye sur la clausule de l'épithète pour donner à ses phrases l'évidence d'une signification que le lexique semble démentir *(Dans une magnifique demeure cernée par l'Orient entier j'ai accompli mon immense œuvre et passé mon illustre retraite. — Un beau matin, chez un peuple fort doux, un homme et une femme superbes criaient sur la place publique)* ; celle de Mallarmé qui, en jouant sur la place des adjectifs, sur les termes qui les modifient ou modifient le substantif associé *(peu, si, maint, quelque)*, en mêlant épithètes néoclassiques et épithètes appartenant à sa propre vision du monde (*immatériel*, *défunt*, *inutile*, etc.), recrée la distance hiératique de la diction épique :

> Le noir roc courroucé que la brise le roule
> Ne s'arrêtera ni sous de pieuses mains
> Tâtant sa ressemblance avec les maux humains
> Comme pour en bénir quelque funeste moule.
>
> (Mallarmé, *Tombeau.*)

Dernière possibilité — mais on voit qu'elle est loin d'être la seule —, l'impertinence sémantique de l'épithète [cf. Cohen, 1966]. La tradition connaissait déjà un moyen de créer l'impertinence sémantique indépendamment des tropes proprement dits, c'est l'**hypallage,** qui consiste à attribuer l'épithète convenant à un substantif à un autre substantif de la phrase, selon le modèle célèbre de Virgile :

> Ibant obscuri sola sub nocte per umbram.
>
> (Virgile, *Enéide.*)

c'est-à-dire *ils allaient obscurs dans les ténèbres de la nuit solitaire*, phrase dans laquelle l'adjectif *obscurs* s'appliquerait normalement à *nuit* et *solitaire* au sujet de la phrase. Utilisé par la poésie classique, l'hypallage est aussi présent chez Mallarmé :

> ... Solitude, récif, étoile
> A n'importe ce qui valut
> Le blanc souci de notre toile.
>
> (Mallarmé, *Salut.*)

Cependant, à partir du XIXe siècle, au lieu d'être superflue et purement descriptive, l'épithète se fait de plus en plus inattendue;

plus de monstre furieux, plus d'écailles jaunissantes, mais voici le *lait plat* (Valéry), le *petit restaurant malingre* (L. P. Fargue), le *viril et rude / courant de boue nuptiale*, *rapide et volcanique* (T. Tzara), la *truie publique*, *ange insolite* (J.-P. de Dadelsen)... Comme la métaphore, l'épithète vise à provoquer la surprise, le frisson de la tension paradoxale qui, au contraire de ce qui se passait dans le cas du *concepto* baroque, ne doit pas et ne peut pas se résoudre. Comme les procédés précédemment mentionnés, l'impertinence sémantique vise à recréer, en un autre lieu du poème, cette différence, cette altérité qui ne se trouvent plus ni dans la versification ni dans une langue qui a abandonné les marques propres à la poésie telles que l'inversion et les mots nobles.

1.4. *Répétitions de groupes de mots et de phrases*

Nous n'avons envisagé jusqu'à maintenant que les répétitions portant sur des mots isolés, mais il est clair que les mêmes configurations se retrouvent à peu près lorsqu'il s'agit de groupes de mots, groupe nominal, groupe verbal ou propositions complètes; voici par exemple une énumération portant sur des groupes de mots :

> Que le vent qui gémit, le roseau qui soupire,
> Que les parfums légers de ton air embaumé,
> Que tout ce qu'on entend, l'on voit ou l'on respire,
> Tout dise : Ils ont aimé!
>
> (Lamartine, *Le Lac*.)

Cependant, la plupart du temps, la répétition portant sur des groupes de mots prend un autre caractère, parce que le groupe constitue, à lui seul, une unité métrique, hémistiche ou vers : c'est précisément le cas dans les vers de Lamartine que nous venons de citer. Nous retiendrons deux formes de répétition portant à la fois sur un groupe de mots et sur une unité métrique : la **formule** et le **refrain.**

La **formule** a été définie par Milman Parry de la façon suivante : « Une expression qui est régulièrement employée, dans les mêmes conditions métriques, pour exprimer une certaine idée essentielle.

L'essentiel de l'idée, c'est ce qui reste après qu'elle a été débarrassée de toute superfluité stylistique » [Parry, 1928, p. 16]. Le chanteur d'une chanson de geste ayant à exprimer l'idée d'éperonner son cheval possède toute une série de variantes qui constituent en même temps un hémistiche (ici le premier hémistiche) [Rychner, 1955, p. 141] :

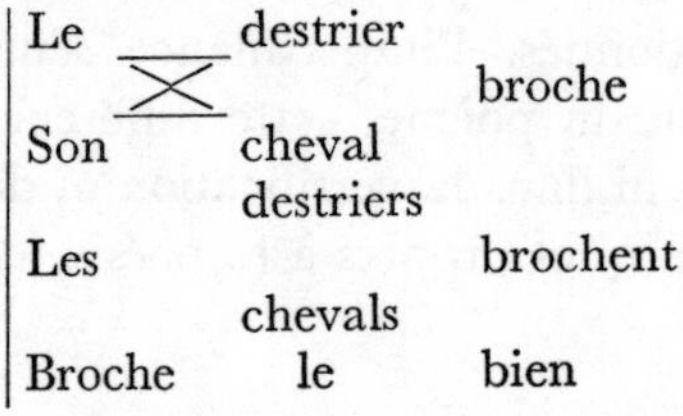

Le Son	destrier cheval	broche
Les	destriers chevals	brochent
Broche	le	bien

Une formule se caractérise donc par une idée (action, description, etc.), un schéma morpho-syntaxique, un lexique défini, un schéma rythmique qui permet de placer la formule dans une unité métrique (hémistiche de 4 ou 5 syllabes pour le premier hémistiche du décasyllabe épique). La formule joue un rôle essentiel dans la poésie orale, et en particulier dans la poésie épique, comme l'ont montré les travaux de M. Parry et de A. B. Lord [Parry, 1928; Lord, 1960].

> Pour eux [id est les Prétendants] l'aède renommé chantait
> [et eux, en silence
> Etaient assis à l'écouter; il chantait le retour des Achéens,
> Le funeste retour, que depuis Troie leur avait annoncé
> [Pallas Athéna.
> Sa chanson inspirée elle l'entendait du haut de l'étage,
> La fille d'Icare, la très sage Pénélope.
> Et elle descendit le haut escalier de sa chambre,
> Mais non point seule, puisque deux de ses servantes la suivaient.
>
> (Homère, *Odyssée*.)

Tout, ou presque tout, dans ce texte est fait de formules qui se retrouvent au moins une fois dans les poèmes homériques; ces formules n'empêchent pas, bien au contraire, une densité poétique qui s'enrichit de la répétition, de cette profondeur de renvois, d'échos et d'allusions créée par le retour d'expressions déjà entendues, et elles permettent le jeu subtil de l'innovation et de la tradition : « Le génie d'Homère se déploie dans l'expression d'idées traditionnelles au moyen d'expressions également traditionnelles » [Parry, 1928, p. 23]. De la même façon, le style formulaire de la *Chanson de Roland* [Duggan, 1973, *The song of Roland*, Los Angeles] est un élément essentiel des parties de la Chanson reconnues comme les plus belles. Un vers comme :

Rollanz est proz et Olivier est sage

n'a de sens que comme reprise et variation sur un stock traditionnel de formules et de schémas [Rychner, 1955, p. 151]. Le style formulaire nous oblige donc à poser sur de nouvelles bases le vieux problème de la tradition et de l'innovation.

Ce style n'est pas réservé à la poésie épique, et l'on retrouve des procédés comparables dans la poésie lyrique médiévale [cf. Zumthor, 1963]. Dans la poésie orale, les formules préexistent au poète et s'imposent à lui de l'extérieur. Mais n'y aurait-il pas l'équivalent des formules codées de la tradition dans les associations qui s'imposent à une époque, pour un genre, à un créateur donnés ? Prenons l'exemple des « métaphores maximales » (ou « images condensées ») chères à Hugo qui sont construites à partir de deux substantifs juxtaposés : le spectre crépuscule, les oiseaux aquilons, le pâtre promontoire, le fossoyeur oubli, etc. Il ne s'agit pas seulement de métaphores, mais aussi d'allégories, de personnifications, comme lorsque l'un des deux termes est un nom propre :

Alors l'hyène Atrée et le chacal Timour,
Et l'épine Caïphe et le roseau Pilate
Le volcan Alaric à la gueule écarlate,
L'ours Henri huit, pour qui Morus en vain pria,
Le sanglier Sélim et le porc Borgia...

(Hugo, *Ce que dit la bouche d'ombre.*)

La juxtaposition, inspirée de la *Néologie* de S. Mercier, est au service de la création mythologique [cf. Renouvier, 1932], mais le binôme se moule le plus souvent dans la mesure d'un hémistiche, apparaissant ainsi comme l'exact équivalent de la formule épique.

La formule individuelle rejoint la formule collective : c'est que nos conduites et nos productions sont régulières, même lorsqu'elles sont personnelles. L'œuvre la plus singulière est construite elle aussi à partir de matériaux, de schémas et de procédés récurrents, et c'est ce qui fonde la possibilité de la mise en série, donc de l'analyse précise des productions symboliques.

Lorsque le groupe de mots répété constitue à lui seul un vers, on a le plus souvent affaire à un **refrain**; nous réserverons le terme pour tous mots, groupes de mots ou phrases qui se retrouvent à la fin de chaque strophe d'un poème (il s'agit donc d'une épiphore portant sur l'unité poétique supérieure au vers, la strophe). Le refrain est lié à la danse et au chant : la strophe était chantée par le meneur de jeu et le refrain repris en chœur par tous les danseurs ou chanteurs. C'est donc une partie essentielle de la poésie lyrique, aussi longtemps que celle-ci est chantée et la chanson contemporaine conserve souvent un refrain, comme celui de la célèbre *Chanson pour l'Auvergnat* de G. Brassens :

> Toi l'Auvergnat quand tu mourras,
> Quand le corqu'mort t'emportera,
> Qu'il te conduise à travers ciel
>   Au père éternel.

Dans d'autres cas, le refrain se présente sous forme de variation sur un thème; un mot est changé ou une partie du vers, un hémistiche :

> ...
> Ton âme est immortelle, et tes pleurs vont tarir.
> ...
> Ton âme est immortelle, et ton cœur va guérir.
> ...
> Ton âme est immortelle, et le temps va s'enfuir.

(Musset, *Lettre à Lamartine*.)

Dans cet exemple, le second hémistiche change à chaque fin de strophe mais conserve une organisation morpho-syntaxique analogue, que l'on représentera ainsi : *et + GN + va + infinitif*; les mots pleins ont changé mais mot-outil *(et)* et auxiliaire aspectuel *(va)* sont maintenus, tandis que la structure de la phrase est identique : du refrain, répétition d'une phrase, nous sommes passés au parallélisme.

2. PARALLÉLISMES

Le parallélisme est, pour nous, lié au nom de R. Jakobson, qui a proposé d'en faire le caractère distinctif de la poésie : « La rime n'est qu'un cas particulier, condensé en quelque sorte, d'un problème beaucoup plus général, nous pouvons même dire du problème fondamental de la poésie, qui est le parallélisme. » [Jakobson, 1963, p. 235]. A l'appui de cette hypothèse, R. Jakobson cite G. M. Hopkins, pour qui « la structure de la poésie est caractérisée par un parallélisme continuel... ». Qu'est-ce donc que le parallélisme ? c'est, nous dit encore Jakobson, une combinaison d'invariants et de variables [Jakobson, 1966] : à l'un des pôles, nous avons la reprise d'un invariant, qui est pure répétition; à l'autre pôle, l'absence d'invariant, qui est pure différence; le parallélisme s'étend entre les deux. Quels sont alors ces invariants et ces variables ? Il importe, croyons-nous, de distinguer plusieurs questions, selon les niveaux linguistiques concernés (cela n'interdit pas, bien au contraire, d'étudier ultérieurement les relations entre niveaux, mais on ne peut les envisager avec fruit qu'après avoir considéré chaque niveau séparément). Il y a d'abord un niveau rythmico-métrique, constitué par un système d'équivalences. Un deuxième niveau est constitué par les récurrences phoniques, plus ou moins étroitement liées au niveau précédent. Il convient ensuite de distinguer un niveau morpho-syntaxique (grammatical) et un niveau sémantique (ou lexico-sémantique). La notion de parallélisme a été introduite historiquement pour rendre compte de phénomènes concernant le niveau morpho-syntaxique et, à un moindre degré, le niveau lexico-sémantique. Nous posons donc la définition suivante du parallélisme : c'est la reprise, dans 2 ou *n* séquences successives, d'un même schéma morphosyntaxique, accompagné de répétitions ou de différences rythmiques, phoniques ou lexico-sémantiques.

2.1. *Historique*

La notion de parallélisme, telle qu'elle est utilisée aujourd'hui dans l'analyse de la poésie, est une notion récente, si on la compare aux notions élaborées par la rhétorique occidentale traditionnelle. Il faudra nous interroger sur cette discordance, qui semble surprenante à première vue : si le parallélisme est une caractéristique fondamentale de la poésie, pourquoi la tradition rhétorique n'en a-t-elle pas eu conscience ? On trouve en effet dans la rhétorique — comme nous le verrons — des notions en partie voisines, mais jamais l'équivalent exact du parallélisme biblique. Le parallélisme comme outil d'analyse a été introduit par R. Lowth en 1753 pour rendre compte de la poésie hébraïque *(De sacra poesi Hebraeorum)*. Dans la définition qu'il en donne, R. Lowth insiste en même temps sur le schéma le plus général (il s'agit d'une correspondance systématique entre les deux membres qui constituent la période, c'est-à-dire entre les deux hémistiches qui constituent le vers) et sur la multiplicité des formes sous lesquelles il peut se rencontrer, allant jusqu'à des formes où le parallélisme n'est guère plus décelable.

Si l'influence de Lowth a été grande, elle ne s'est pourtant pas exercée de façon sensible dans les études portant sur les littératures européennes, classiques ou modernes. Elle se fait sentir surtout dans le domaine des traditions étrangères à l'Europe ou dans le domaine des littératures orales : dès le XIXe siècle, on retrouve le parallélisme dans la poésie chinoise, dans la poésie populaire finnoise, dans la poésie orale mongole, dans la poésie populaire russe [cf. Jakobson, 1966]. Plus récemment, le parallélisme a été reconnu dans de très nombreuses traditions orales : poésie Toda de l'Inde du Sud, poésie Navaho, poésie zoulou, bantou, poésie polynésienne, etc. [cf. Finnegan, 1977].

Si G. M. Hopkins demeure un isolé lorsqu'il fonde la poésie sur le parallélisme, le mouvement formaliste russe fait, dès ses débuts, du parallélisme, une caractéristique déterminante du langage poétique : Osip Brik, dans son article « Ritm i sintaksis », s'intéresse à l'ordre des mots, qui tend, sous forme de parallélisme, à accompagner le mouvement rythmique du vers [cf. Erlich, 1965,

p. 221]. Et R. Jakobson, dans de nombreuses publications, en vient à faire du parallélisme le trait définitoire de la poésie. Après avoir écrit plusieurs analyses inspirées de la méthode préconisée par Jakobson, N. Ruwet a proposé plus récemment une « théorie qu'il présente comme une variante de la « théorie » de Jakobson [cf. Ruwet, 1972]. Tout à fait indépendamment de Jakobson, D. Alonso a étudié les phénomènes de corrélation (cf. ce que nous disons plus bas des vers rapportés) et de parallélisme [cf. D. Alonso et C. Bousoño, 1970]. Nous ne discuterons pas les « théories » globales de Jakobson et de Ruwet. Notre propos, beaucoup plus limité, est d'isoler, dans la mesure du possible, une composante morpho-syntaxique qui nous semble constituer le noyau de la notion de parallélisme. Lorsqu'il s'agit d'équivalences portant par exemple sur le phénomène suivant : les deux rimes d'un distique à vers plat sont deux substantifs, ou deux synonymes, etc., nous proposons de parler dans ce cas de couplage. Il nous semble que la précision et la rigueur de l'analyse ne peuvent qu'y gagner.

2.2. *Le parallélisme biblique*

Le parallélisme biblique apparaît bien, aux yeux des contemporains de Lowth, comme une espèce particulière de poésie. Voici comment Blair, dans sa *Rhétorique*, présente la poésie des Hébreux, en suivant de près les analyses de Lowth : « Ils [les livres sacrés] nous font connaître le goût qui a régné dans un temps et dans un pays placés fort loin de nous. Ils nous présentent une espèce de composition, très différente de celles qui nous sont familières, et dont la beauté nous frappe [...] La forme générale de la poésie hébraïque est singulière et unique dans son espèce. Elle consiste à diviser chaque période en deux membres, le plus souvent égaux, qui se correspondent pour le sens et pour le son. Le premier membre de la période contient une pensée ou un sentiment qui, dans le second, est amplifié, ou répété en termes différents, ou relevé par un contraste; et toujours en employant deux phrases de même structure et à peu près du même nombre de mots » [Blair, 1808, t. IV, p. 41].

Prenons comme exemple le *Psaume CXIV* :

1 Quand Israël sortit d'Egypte,
la maison de Jacob, de chez un peuple barbare,
2 Juda devint son sanctuaire,
Israël son domaine.

3 La mer voit et s'enfuit,
le Jourdain retourne en arrière,
4 les montagnes bondissent comme des béliers,
les collines comme des agneaux.

5 Qu'as-tu, mer, à t'enfuir,
Jourdain, à retourner en arrière,
6 Montagnes, à bondir comme des béliers,
Collines, comme des agneaux ?

7 En présence du Seigneur, tremble, terre,
en présence du Dieu de Jacob,
8 qui change le rocher en nappe d'eau,
le caillou en fontaine d'eau !

En laissant de côté les problèmes posés par la traduction et en considérant que nous avons à notre disposition un équivalent acceptable du texte original, comment se présentent les parallélismes ? Une première impression se dégage aussitôt, même sans analyse détaillée : les phénomènes de parallélisme sont multiples et massifs. Les versets du psaume, à l'exception des versets 3 et 7, dans lesquels le parallélisme est remplacé par une répétition partielle avec variation, sont construits sur une stricte correspondance morpho-syntaxique; le premier hémistiche répond au second, comme on le voit dans le verset 1 :

Quand Israël ↕ la maison de Jacob — sortit d'Egypte ↕ de chez un peuple barbare

La seule différence est dans l'absence de deux éléments *(quand, sortit)* qu'il faut sous-entendre dans le second hémistiche. De la même façon il faut sous-entendre *bondissent* dans le second hémistiche du verset 4, etc. Dans les versets 3 et 7, la correspondance morpho-syntaxique est moins stricte : dans la verset 3 le verbe *voit* n'est pas repris dans le second hémistiche; dans le verset 7 est seul repris dans le second hémistiche une partie du premier hémistiche avec variation (En présence du Seigneur → en présence du Dieu de Jacob). La correspondance n'est pas seulement morpho-syntaxique, elle est aussi lexicale (lorsqu'un verbe est, par exemple, sous-entendu dans le deuxième hémistiche) et sémantique : les montagnes correspondent aux collines, les béliers aux agneaux (verset 4), le rocher au caillou et la nappe d'eau à la fontaine d'eau (verset 8). On peut dire approximativement que, dans certains cas, les deux hémistiches du verset répètent la même idée sous deux formes à peine différentes (verset 4, 6, 8). Nous avons affaire à la première espèce de parallélisme distinguée par Lowth, le parallélisme synonymique [cf. A. Schökel, article Poésie hébraïque in *Supplément au Dictionnaire de la Bible*, t. VIII, Letouzey et Ané, 1972].

R. Lowth distingue une deuxième espèce de parallélisme, le parallélisme antithétique, beaucoup moins fréquent et que l'on trouve surtout dans les proverbes : en voici deux exemples :

> Tel fait le riche, et il n'a rien;
> tel fait le pauvre, et il a de grands biens.
>
> (*Proverbes*, XIII, 7.)

> Un cœur joyeux prépare la guérison,
> mais un esprit abattu dessèche les os.
>
> (*Proverbes*, XVII, 22.)

Lowth distingue enfin une troisième espèce, le parallélisme synthétique. C'est une catégorie fourre-tout, dans laquelle il fait entrer les parallélismes qui ne peuvent pas entrer dans les deux catégories précédentes, et que les successeurs de Lowth ont définie de manière très divergente. Lowth retient en effet comme caractère la seule correspondance morpho-syntaxique des deux membres, mais d'autres en font un schéma dans lequel le second membre complète l'idée exprimée dans le premier :

> Les rois de la terre se dressent
> et les souverains complotent ensemble
> contre Iahvé et contre son Messie.
>
> (*Psaumes*, II, 2.)

Voici qui déjà nous montre la complexité des schémas utilisés dans le parallélisme biblique. Mais les types 1 et 2, pour être mieux définis, n'en présentent pas moins une grande variété de formes.

Lowth distingue, à l'intérieur de la première espèce, toute une série de sous-espèces, selon que le deuxième hémistiche reprend tout ou partie du premier, présente une proposition dans laquelle il faut sous-entendre un terme du premier, etc. Toutes sortes de dispositions sont possibles, comme la suivante, dans laquelle deux schémas parallèles entourent un élément isolé :

> Ascalon le verra et elle aura peur
> Gaza également et elle tremblera,
> Eqron aussi, car son espoir est déçu.
> De Gaza le roi a disparu
> et Ascalon n'a plus d'habitants.

(*Zacharie*, IX, 5.)

Les parallélismes synonymiques peuvent aussi se présenter sous forme ternaire ou se répondre en constituant un chiasme...

Au lieu de classer les parallélismes selon des critères formels (morpho-syntaxiques), on peut également tenter de les classer selon des critères sémantiques. On distinguera par exemple [cf. A. Schökel, *op. cit*] :

1 / Des relations de pure synonymie :

> Jour de ténèbres et d'obscurité,
> jour de nuage et de nuée...

(*Joël*, II, 2.)

2 / Des relations sémantiques fondées sur de grands couples binaires fondamentaux : principe-fin, avant-après, présent-futur, devant-derrière, orient-occident, ciel-terre, lumière-ténèbres, entrer-sortir, se coucher-se lever, Dieu-les hommes, œuvres-paroles, etc.

> le jour au jour en dit une parole
> et la nuit à la nuit en donne connaissance.

(*Psaumes*, XIX, 3.)

3 / Des relations sémantiques fondées sur l'énumération d'espèces caractéristiques d'un même genre; le parallélisme est ainsi un moyen de décrire une totalité par l'évocation de deux éléments distingués de cette totalité :

> Le bœuf connaît son possesseur
> et l'âne la crèche de son maître.

(*Isaïe*, I, 2.)

4 / Des relations de corrélation, du genre : argile-potier, hache-bûcheron, etc.

D'une façon générale, ces relations sont des relations de partie à tout : la perspective est synthétique, le parallélisme permettant d'instituer la totalité à partir d'un certain nombre de termes caractéristiques. Cette conception s'oppose, nous le verrons, à la conception grecque plutôt fondée sur la mise en correspondance de termes contradictoires.

Est-il possible de donner une formule générale du parallélisme biblique ? Plusieurs systèmes distincts de classement ont été proposés et l'on en comprend les raisons : cette réalité à première vue massive et cohérente devient, si on la regarde de près, complexe et multiforme. Il n'en demeure pas moins que le phénomène de parallélisme s'impose au lecteur parce qu'un nombre important de parallélismes correspondent à ce que l'on peut appeler une forme canonique caractérisée par les traits suivants :

1 / Le parallélisme a une valeur architectonique. Indépendamment du rythme de la poésie hébraïque, sur lequel les spécialistes ne sont pas d'accord, le parallélisme des deux hémistiches constitue une dominante, peut-être même la dominante, la caractéristique essentielle de la poésie hébraïque.

2 / Le parallélisme est défini sur deux segments qui se succèdent immédiatement.

3 / Ces deux segments sont des propositions simples, généralement composées d'un sujet, d'un verbe et d'un complément, l'un des termes pouvant être redoublé.

4 / Le parallélisme morpho-syntaxique s'accompagne d'identités lexicales partielles, et/ou de liens sémantiques étroits entre les termes correspondants.

5 / Il s'accompagne aussi de récurrences phoniques.

L'ensemble de ces caractères nous assure que le parallélisme n'est pas un artefact, mais est une réalité à la fois voulue et perçue (pertinence poïétique et pertinence esthésique). Tout le problème posé par l'utilisation de la notion de parallélisme dans d'autres littératures que la littérature hébraïque est de s'assurer, par un ensemble de traits, convergents, de la pertinence des phénomènes que l'on découvre.

2.3. *Les phénomènes de parallélisme dans la rhétorique classique*

La rhétorique classique n'utilise pas le mot de parallélisme et n'a pas dégagé de notion qui corresponde exactement aux formes que présente la poésie hébraïque. Il existe pourtant une série de figures proches du parallélisme que nous allons maintenant envisager. A la source du style, du souci de style, Aristote voit la volonté de rivaliser avec les poètes : « Comme les poètes, malgré l'insignifiance de ce qu'ils disaient, semblaient atteindre à la gloire grâce à leur façon de le dire, le style fut d'abord poétique, comme celui de Gorgias » [Aristote, *Rhétorique*, 1404 *a* 24]. C'est donc reconnaître que la prose artistique, mode d'expression de la rhétorique, est, dès ses origines, liée à la poésie. Mais, et cela est capital pour comprendre aussi bien la rhétorique que la littérature occidentale qui est, en grande partie, une littérature rhétorique, la prose littéraire joue dès ses débuts un ballet très subtil entre la langue quotidienne et la poésie : elle utilise certaines des ressources de la langue poétique mais prend garde de ne jamais devenir poésie. En sens inverse, nous verrons que la poésie ne se confond jamais avec les recours que lui emprunte la prose artistique.

C'est à Gorgias que l'on attribue le mérite d'avoir introduit dans la prose les ressources de la poésie et les figures rhétoriques qui correspondent au parallélisme se trouvent dans le groupe que l'on appelle les figures gorgianiques et que l'on peut ramener à trois espèces : les assonances en fin de membre, le parallélisme des membres et l'antithèse. Les assonances en fin de membre sont extrêmement intéressantes, car, même si à l'origine elles ont été empruntées à la poésie, elles sont devenues en latin des marques caractéristiques de la prose d'art, et non du vers. Assonance et rime n'étaient, dans le vers latin classique, employées que de façon accidentelle ou dans des cas particuliers, en vue de produire des effets spéciaux. On voit bien sur ce point la dialectique constructive qui unit et oppose la poésie à la prose : l'homophonie des finales, réservée à la prose d'art, est exclue de la poésie.

C'est un peu un phénomène du même ordre qui se produit pour la deuxième espèce des figures gorgianiques, le parallélisme des membres. Il s'agit de la figure appelée **isocolon** à laquelle était traditionnellement associée l'homophonie des finales, qui venait renforcer le parallélisme. Elle consiste dans la succession de deux ou plusieurs membres de phrase présentant leurs éléments constitutifs dans le même ordre, suivant le schéma : $a_1\ b_1\ c_1\ /\ a_2\ b_2\ c_2$. L'isocolon peut être envisagé soit du point de vue de la forme, soit du point de vue sémantique. Du point de vue de la forme, on distingue les isocolons à 2 ou 3 membres, à nombre égal ou inégal de mots et de syllabes, etc. On distingue aussi ceux qui constituent à eux seuls des propositions complètes :

Je vous blâmais tantôt, je vous plains à présent.

(Corneille, *Le Cid.*)

et ceux qui dépendent d'un groupe de termes non repris dans le second membre :

J'attends tout de sa grâce, et rien de ma faiblesse.

(Corneille, *Polyeucte.*)

Dans les deux exemples que nous venons de citer, la période se compose des deux seuls membres qui constituent l'isocolon. Mais l'isocolon peut aussi se trouver au terme d'une longue période qui se termine ainsi par deux membres parallèles :

Lieux qui donnez aux cœurs tant d'aimables désirs,
Bois, fontaines, canaux, si parmi vos plaisirs
Mon humeur est chagrine, et mon visage triste :

Ce n'est point qu'en effet vous n'ayez des appas,
Mais qui que vous ayez, vous n'avez point Caliste :
Et moi je ne vois rien quand je ne la vois pas.

(Malherbe, « Beaux et grands bâtiments d'éternelle structure... »)

Deux possibilités donc : la phrase sentence à deux termes qui se répondent, telle qu'elle est utilisée dans le théâtre classique et la longue période terminée par deux membres parallèles. Dans les deux cas, l'isocolon se trouve très souvent à la fin d'une strophe.

En revanche la rhétorique ne s'est guère intéressée au parallélisme des périodes entières, comme l'indique bien le nom d'isocolon. Les périodes ne sont pas normalement parallèles, sauf lorsque l'écrivain veut obtenir un effet particulier (nous retrouverons tout à l'heure ce cas).

Si l'on se tourne vers l'aspect sémantique de l'isocolon, les différentes espèces se distribuent sur un continuum qui va de la synonymie à l'antithèse. Contrairement à ce qui se passe dans le parallélisme biblique, le cas le plus fréquent est l'antithèse, comme en témoignent les exemples que nous avons cités ou cette fin de poème, choisi presque au hasard dans Hugo :

> Quelqu'un qu'entourent les ombres
> Montera mes marches sombres,
> Et quelqu'un les descendra.
>
> (Hugo, « Je suis fait d'ambre et de marbre. »)

L'isocolon antithétique semble bien être une constante de la poésie et de la rhétorique occidentales et servir de chute privilégiée au poème, définissant ainsi au moins une des traditions de la poésie française, de Malherbe à Hugo et à Char :

> Voici le sable mort, voici le corps sauvé :
> La Femme respire, l'Homme se tient debout.
>
> (R. Char, *Le visage nuptial.*)

A la différence de ce qui se passe dans la prose artistique, l'isocolon antithétique peut jouer de la métrique pour introduire la différence dans l'identité en ne faisant pas coïncider la symétrie de l'isocolon avec la symétrie suggérée par la versification :

> Grâces à mon Destin, je n'ai plus rien à craindre;
> Et puis tout espérer
>
> (Malherbe, « Enfin ma patience, et les soins que j'ai pris... »)

Le parallélisme est ainsi subtilement accompagné de phénomènes rythmiques ou sonores qui tantôt le soulignent, tantôt le démentent ou le contredisent. L'orchestration de la poésie écrite, de la grande poésie, est le résultat d'une dialectique complexe entre les différents plans qui en constituent le langage.

2.4. *Typologie des parallélismes*

La confrontation du parallélisme biblique et des schémas parallèles de la rhétorique classique nous semble conduire à trois conclusions :

1 / Il n'existe pas une forme, mais plusieurs formes canoniques de parallélisme, qu'il est dangereux de confondre, car elles correspondent à des schèmes différents et à des stratégies de construction et sans doute de perception éloignées les unes des autres.

2 / La forme canonique doit être caractérisée par des traits bien définis.

3 / Si chaque forme canonique constitue un phénomène clairement délimité et nettement définissable, il n'en est pas de même pour les formes dans lesquelles un certain nombre de traits caractéristiques de la forme canonique ne se trouvent plus présents; il existe donc, autour du noyau stable de la forme canonique, une série de zones de plus en plus floues dans lesquelles le parallélisme perd de plus en plus sa consistance et sa signification.

Il est donc nécessaire de construire une typologie des parallélismes autour de formes canoniques clairement définies. Mais on voit aussitôt qu'il ne saurait y avoir de classification *a priori* valable pour tous les parallélismes présents dans les différentes traditions poétiques : le nombre des variables est beaucoup trop grand et leurs configurations possibles trop nombreuses. Il convient donc d'aboutir à des classifications d'abord valables pour une tradition donnée. Grâce à ces formes bien définies, ou relativement bien définies, il est possible de jalonner progressivement le domaine complexe et flou du parallélisme.

Parrallélisme biblique et isocolon de la rhétorique classique constituent deux types que nous voudrions opposer en montrant ce que deviennent les schémas bibliques lorsqu'ils sont transposés et adoptés par un poète nourri de la tradition rhétorique. Nous choisirons deux paraphrases de Psaumes écrites par Malherbe, la paraphrase du Psaume VIII (« O sagesse éternelle à qui cet univers... ») et la paraphrase du Psaume CXXVIII (« Les funestes complots des âmes forcenées... »). Dans le Psaume VIII, les strophes 3 et 4 de Malherbe correspondent aux versets 4-6 du texte hébreu :

4 Quand je vois tes cieux, œuvre
[de tes doigts,
la lune et les étoiles que tu as
[fixées,
5 Qu'est-ce donc que l'homme
[pour que tu t'en souviennes
et le fils d'Adam pour que tu
[t'en occupes ?

3 De moi, toutes les fois que j'ar-
[rête les yeux
A voir les ornements dont tu
[pares les cieux,
Tu me sembles si grand, et nous
[si peu de chose,
Que mon entendement
Ne peut s'imaginer quel amour
[te dispose
4 Il n'est faiblesse égale à nos infir-
[mités :
Nos plus sages discours ne sont
[que vanités :
Et nos sens corrompus n'ont goût
[qu'à des ordures,
Toutefois, ô bon Dieu,
Nous te sommes si chers, qu'en-
[tre tes créatures,
Si l'ange est le premier, l'homme
[a le second lieu

Les trois versets sont bâtis selon le schéma canonique du parallélisme : chaque hémistiche est repris par un second hémistiche qui lui correspond à la fois syntaxiquement et sémantiquement; par ailleurs il y a antithèse entre les versets 4 et 5. Que devient ce schéma à la fois simple et efficace dans le poème de Malherbe ? Dès la première lecture, nous sentons que nous avons changé de monde et de langage poétique. Soulignons les deux aspects les plus importants du style de Malherbe par rapport au texte de la Bible : période et isocolon antithétique.

Période d'abord : c'est là l'impression massive et immédiate que produit le texte. En face des phrases simples du modèle, deux longues périodes coïncidant chacune avec les limites de la strophe. Il n'y a aucun parallélisme global de structure entre les deux périodes et, à l'intérieur des deux périodes — si on laisse de côté les deux isocolons sur lesquels nous allons revenir — aucun parallélisme clairement perceptible : les trois premiers vers de la strophe 4 ont un lien sémantique direct, mais, puisqu'on ne saurait tenir compte du fait banal qu'il s'agit de trois propositions simples composées d'un sujet, d'un verbe et d'un complément (comment parler ici de parallélisme sans enlever toute valeur à la notion), il semble que Malherbe s'ingénie à varier les constructions. Le parallélisme n'apparaît que sous la forme de l'isocolon, au vers 3 de la strophe 3 et au vers 6 de la strophe 4, c'est-à-dire à deux positions marquées (fin de la demi-strophe, fin de la strophe), mais pas à deux positions identiques : toujours le même jeu du même et de l'autre. Selon la tendance que nous avons indiquée plus haut, l'isocolon fait se distribuer le parallélisme comme un phénomène local, comme une étape et un repos sur le fond souple du mouvement complexe qui entraîne les périodes.

Dans le psaume CXXVIII, la première strophe de Malherbe correspond aux versets 1-2 :

1 Tant ils m'ont traqué dès ma
[jeunesse,
— qu'Israël le dise ! —
2 tant ils m'ont traqué dès ma
[jeunesse,
ils n'ont pas eu le dessus.

Les funestes complots des âmes
[forcenées,
Qui pensaient triompher de mes
[jeunes années,
Ont d'un commun assaut mon
[repos offensé :
Leur rage a mis au jour ce
[qu'elle avait de pire,
Certes je le puis dire :
Mais je puis dire aussi qu'ils
[n'ont rien avancé.

Les deux versets sont construits selon un schéma de répétition et de parallélisme : AB — AC. La strophe de Malherbe est composée d'une longue période construite sur trois segments qui s'enchaînent :

P_1 les méchants m'ont attaqué (v. 1-3),
P_2 oui, ils ont redoublé leurs attaques (v. 4-5),
P_3 mais ils n'ont pu m'abattre (v. 6).

La strophe est conduite par le mouvement ample de la période, qu'ornent çà et là des figures locales : le chiasme des adjectifs du vers 1, l'incidence (proposition accessoire qui affecte l'assertion de la phrase principale et en exprime le motif ou le fondement; cf. Fontanier [22]) du vers 5 et la reprise des vers 5 et 6. Le vers 6 reprend presque littéralement le vers 5 *(certes je puis le dire — mais je puis dire aussi)*, formant ainsi la figure d'anadiplose (schéma ... x — x ...), mais il ne s'agit pas d'isocolon : le parallélisme n'apparaît pas comme tel et, comme le dit bien Fontanier, l'effet produit est de répétition insistante; le contexte et la place des deux segments sont trop dissemblables pour qu'on puisse parler de parallélisme.

En revanche, si nous voulions trouver de beaux exemples d'isocolon, il faudrait s'adresser à la prose artistique, à la prose oratoire de Malherbe : « Il est malaisé que je n'aie dit devant vous ce que j'ai dit en toutes les bonnes compagnies de la cour, que je ne trouvais que deux belles choses au monde, les femmes et les roses, et deux bons morceaux, les femmes et les melons. C'est un sentiment que j'ai eu dès ma naissance, et qui jusques à cette heure est encore si puissant en mon âme que je n'y pense jamais que je ne remercie la nature de les avoir faites, et mon ascendant de m'avoir donné la forte inclination que j'ai à les adorer » [lettre à M. de Racan]. La première phrase se termine par deux membres symétriques, eux-mêmes composés de deux segments qui se répondent. Si nous représentons le schéma des articulations logiques et grammaticales de la seconde période, nous obtenons :

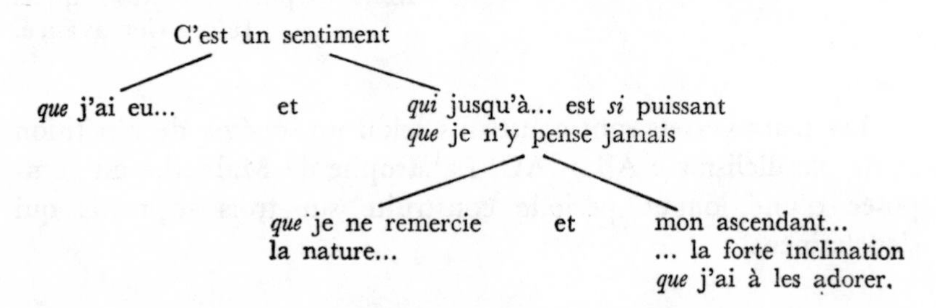

C'est la symétrie qui triomphe ici et balance les membres qui se répondent deux à deux, mais avec toujours la tension qu'introduit la variété dans chaque correspondance, le tout étant emporté par le mouvement de la période qui donne une tout autre valeur aux segments symétriques. Plutôt que de parallélisme, il faut ici parler de symétries subtilement modulées : rien n'est plus éloigné du parallélisme biblique.

Cette opposition complète d'esprit et de forme entre le parallélisme biblique et le parallélisme de la grande poésie classique montre bien, croyons-nous, la nécessité d'une typologie qui respecte les caractéristiques pertinentes d'un style. Nous allons maintenant proposer une typologie, lacunaire et fondée sur des critères hétérogènes, et qui pourra certainement être améliorée et complétée.

1 / Parallélisme architectonique. Nous appelons ainsi le parallélisme morpho-syntaxique lorsqu'il constitue le trait pertinent ou l'un des traits dominants qui définissent la métrique d'une poésie. C'est le cas, partiellement, pour la poésie hébraïque ancienne (dans la mesure où l'accord n'est pas fait au sujet de la prosodie) et c'est le cas d'un certain nombre de littératures orales : citons, entre autres, la poésie Toda (Inde du Sud), fondée sur une unité métrique de 3 syllabes, qui peut se répéter jusqu'à six ou sept fois, mais de telle sorte qu'à chaque séquence succède une séquence parallèle dans sa structure morpho-syntaxique et contenant le même nombre d'unités (Les jours d'une année se sont écoulés / les jours de six mois se sont écoulés...) [Finnegan, 1977, p. 99].

2 / Parallélisme simple synonymique. C'est le cas illustré aussi par la poésie biblique : deux propositions simples successives ont la même structure morpho-syntaxique et sont liés par une correspondance sémantique d'analogie. On peut d'ailleurs raffiner, comme nous l'avons vu, la classification sémantique.

3 / Parallélisme simple antithétique. Représenté dans la poésie biblique, il apparaît surtout dans les vers-sentences de la tragédie classique ainsi que dans les vers-chutes de la grande poésie.

4 / Parallélisme local. Il s'agit de l'isocolon : le parallélisme de deux ou plusieurs membres est pris dans le mouvement d'une période complexe.

5 / Le parallélisme-matrice. Il s'agit des cas dans lesquels un schéma morpho-syntaxique est répété plusieurs fois de façon telle

qu'il organise une partie ou l'ensemble du poème. On peut en distinguer deux espèces, selon que le schéma est une phrase simple ou un schéma de phrase complexe. Voici un exemple du premier cas, dans lequel le parallélisme est accompagné de concaténation (... x / x . . . y / y . .) :

> Le ciel était de nuit
> la nuit était de plainte
> la plainte était d'espoir.
>
> (J. Tardieu, *Etude en de mineur.*)

C'est le schéma même de la litanie, construite sur une série d'invocations, chacune suivie d'une formule reprise en chœur par les fidèles :

> Viens au secours, ô fils de Dieu, né de Marie!
> Jésus-Christ, viens au secours, ô fils, né de Marie!
> De la race de David, rejeton céleste,
> viens au secours, ô fils, né de Marie! ...

C'est aussi une matrice de production du poème fréquemment utilisée par les poètes du XXe siècle, car elle permet d'une part de faire accepter toutes les déviations syntaxiques et sémantiques, celles-ci étant prises dans une série qui les naturalise, et d'autre part de donner une organisation qui se substitue au vers et joue son rôle de retour prévisible, c'est-à-dire de mesure :

> Il y a des vers dans la viande
> que je tends, affamé, à l'affamé.
>
> Il y a des gloussements parmi les pleurs
> dont j'abonde pour l'humilié...
>
> (A. Frénaud, *Mère marâtre.*)

Dans *A Villequier* et *Paroles sur la Dune* de V. Hugo, nous avons un parallélisme-matrice construit sur la reprise des subordonnées : *maintenant que*... Mais ici, comme il s'agit de période, le parallélisme s'accompagne d'asymétries et de variations.

2.5. *Les vers rapportés*

Si le parallélisme consiste à faire se succéder deux ou plusieurs séquences bâties selon le même schéma morpho-syntaxique :

$$\begin{array}{lll} GN_1 & V_1 & GN_2 \\ GN'_1 & V'_1 & GN'_2 \\ GN''_1 & V''_1 & GN''_2 \\ \ldots & \ldots & \ldots \end{array}$$

on peut concevoir théoriquement l'existence d'une figure construite par l'interversion des lignes et des colonnes :

$$\begin{array}{lll} GN_1 & GN'_1 & GN''_1\ldots \\ V_1 & V'_1 & V''_1\ldots \\ GN_2 & GN'_2 & GN''_2\ldots \end{array}$$

Cette figure existe et a été étudiée par B. Berger en 1930 [Berger, 1930]. D. Alonso en a fait une étude générale dans de nombreuses publications dont nous allons nous inspirer [Alonso et Bousoño, 1970]. Le modèle est donné par le distique latin :

Pastor, arator, eques pavi, colui, superavi
capras, rus, hostes fronde, ligone, manu

dont la disposition linguistique normale serait :

Pastor pavi capras fronde,
arator colui rus ligone,
eques superavi hostes manu.

La correspondance morpho-syntaxique est totale et, par ailleurs, le parallélisme sémantique a une signification définie : chaque séquence représente l'une des trois œuvres de Virgile, *Bucoliques*, *Géorgiques* et *Enéide*, considérées au Moyen Age comme les modèles des trois styles poétiques, le style bas, le style médiocre et le style élevé.

Un distique de Jodelle reprend le même procédé :

Phœbus, Amour, Cypris, veult sauver, nourrir et orner
Ton vers, cœur et chef d'ombre, de flamme et de fleurs.

A partir de ce schéma de base, plusieurs variations sont possibles. La forme la plus contraignante consiste à mettre dans chaque vers les *n* éléments de même fonction :

> La grandeur et l'amour, le destin, la victoire
> D'un Dieu, d'une beauté, du Ciel et des soldats
> Conduise, enflamme, anime et pousse en mille parts
> Tes pas, ton cœur, ton âme et la vertu notoire...
>
> (Sieur de Porchères.)

Dans d'autres cas cette exigence sera abandonnée et les unités syntaxiques ne coïncideront plus avec les unités métriques. Une forme intéressante se trouve à mi-chemin du parallélisme et des vers rapportés. Le sonnet de Jodelle :

> Comme un qui s'est perdu dans la forêt profonde...

est bâti sur trois comparaisons : l'absence puis le retour de l'aimée sont comme l'errance et le salut dans une forêt, sur mer et dans les champs. La technique est celle de l'ikon. A la fin des comparaisons, le poète récapitule brièvement les termes de base de la comparaison accompagnés d'un déterminatif; le vers rapporté devient chute du sonnet :

> J'oublie en revoyant votre heureuse clarté,
> Forêt, tourmente, et nuit, longue, orageuse et noire.

Nous retrouvons la même situation que dans l'étude du parallélisme : il n'y a pas une forme-structure rigide, mais une série de configurations de plus en plus vaguement apparentées lorsqu'on s'éloigne, de façon continue, de la ou des formes canoniques. Entre toutes les formes n'existe qu'une vague ressemblance de famille sans intérêt théorique ni pratique. Mais en même temps cette famille de formes ne se comprend qu'insérée dans le travail de l'histoire. Le schéma canonique des vers rapportés est une possibilité théorique dont on peut apercevoir des réalisations plus ou moins isolées dans diverses traditions poétiques et à diverses époques : Antiquité classique, Moyen Age européen, etc. Ce n'est pourtant qu'à certains moments que la forme prend et devient modèle de créations multiples qui s'engendrent les unes les autres. D. Alonso a pu montrer que les vers rapportés ont diffusé à travers l'Europe renaissante et baroque dans et grâce à la diffusion du pétrarquisme. Une des raisons qui expliquent cette diffusion est sans doute celle qu'a proposée D. Alonso : formellement, les vers rapportés ne sont qu'une modification du parallélisme, un jeu et une gageure à partir du parallélisme simple. Jeu qui est rendu possible d'une part grâce à l'écriture (il est difficile de comprendre et sans doute de composer oralement des vers rapportés) et d'autre part grâce à la volonté du poète de compliquer un schéma banal, le parallélisme utilisé couramment dans toutes les formes de chanson issues de la danse et de la tradition populaire. Les vers rapportés sont une création à partir du parallélisme, un travail sur le parallélisme, une construction dans laquelle la dialectique de la tradition et de l'innovation produit une forme lettrée de la même configuration de base.

3. CHIASME ET ANTITHÈSE

3.1. *Le chiasme*

Pas plus que le parallélisme, le **chiasme** n'est un terme qui appartienne à la rhétorique ou à la pratique traditionnelles, et sans doute pour les mêmes raisons : le phénomène n'a jamais été perçu comme une catégorie générale dotée de pertinence artistique. On retiendra la définition la plus générale du terme, qui en fait une forme particulière du parallélisme. On parlera de chiasme lorsque, dans deux séquences successives de construction morpho-syntaxique identique, l'ordre de certaines unités est inversé dans la seconde séquence; le cas le plus fréquent peut être schématisé $\ldots x_1 \ldots y_1 \ldots / \ldots y_2 \ldots x_2 \ldots$, le chiasme portant sur deux unités, selon l'exemple :

> Me nourrissant de fiel, de larmes abreuvée...
>
> (Racine, *Phèdre.*)

Les parallélismes bibliques se présentent souvent sous cette forme croisée :

> Yahvé est mon roc et ma forteresse,
> mon libérateur, c'est mon Dieu.
>
> (Psaume XVIII.)

Ici le chiasme est synonymique, alors que dans la tradition rhétorique le chiasme est plutôt associé à l'antithèse.

Les cas de figure sont très nombreux et il serait utile de les classer selon un certain nombre de variables : nombre d'unités mises en jeu (2 ou plus) ; niveau des unités, qui permet de distinguer les chiasmes de groupes de mots (par ex. N_1 Adj_1 et Adj_2 N_2), les chiasmes de phrases et les chiasmes de discours, ces derniers organisant des unités plus larges encore que la phrase [cf. R. Meynet, 1979, *Quelle est donc cette parole ?* Paris, Cerf, pour le rôle de ces chiasmes dans la Bible et les Evangiles], relations lexicales entre les deux séquences, selon que les mêmes mots sont repris ou remplacés par des synonymes ou des termes ayant entre eux des relations lexicales et sémantiques plus ou moins éloignées ; relations sémantiques globales, qui se distribuent entre les deux pôles constitués par les reprises identiques ou synonymiques (cf. l'exemple cité des *Psaumes*) et par les oppositions.

Si les deux séquences correspondent à des unités métriques, nous aurons affaire à deux hémistiches ou à deux vers qui se correspondent, le chiasme recevant ainsi plus de force de son couplage avec la versification. Ce schéma est utilisé aussi bien dans les stichomyties et les vers-sentences du théâtre classique que dans les grandes antithèses de Hugo :

Qui se venge en secret, en secret en fait gloire.
(Corneille, *Clitandre*.)

Fils de la Grèce antique et de la jeune France...
[. . . . .]
Tu sacrais le vieil art aïeul de l'art nouveau...
(V. Hugo, *A Théophile Gautier*.)

3.2. *L'antithèse*

Le chiasme est, nous venons de le voir, étroitement lié à l'antithèse, que l'on définira comme le rapprochement dans le discours de deux unités dont les significations sont opposées. L'infinie variété de l'antithèse s'organise selon les deux axes de la nature morpho-syntaxique des unités en cause et des relations sémantiques qui unissent les deux termes. Selon la première variable, on distingue l'antithèse portant sur des mots, sur des groupes de mots et sur des phrases. Parmi les antithèses concernant les mots, retenons l'oxymore, technique baroque où l'impertinence sémantique se fonde sur l'opposition de deux termes étroitement liés, en particulier entre le substantif et l'adjectif épithète. Le pétrarquisme, puis à sa suite la poésie maniériste et baroque ont systématiquement utilisé ce recours, accumulant les alliances du genre : *mortelle vie*, *cruel espoir*, *obscure clarté*, etc. :

> C'est un brouillard plus clair que la lumière.
>
> (Madame Guyon, *Abîme de l'amour*.)

Si les mots ne se suivent pas immédiatement, ils sont souvent associés à des places marquées du vers ou de l'hémistiche, le début et la fin :

> L'Amour s'est déguisé sous l'habit de la Mort.
>
> (Tristan, *La Belle en deuil*.)

et/ou pris dans un mouvement parallèle :

> Pour qu'on voie au travers nos principes déçus,
> La clémence dessous, l'assassinat dessus.
>
> (Hugo, *Avril*.)

Avec ce dernier exemple nous sommes passés aux groupes de mots en antithèse, qui peuvent correspondre à des unités métriques, de même que les phrases antithétiques :

> Il me met haut, il me met bas
> En paix, et puis dans les combats.
>
> (Servin, *Fournaise d'amour*.)

L'antithèse peut aussi être intégrée dans un dialogue, comme chez Tristan Corbière :

> Du je-ne-sais quoi. — Mais sachant où :
> De l'or, — mais avec pas le sou;
> Des nerfs, — sans nerf. Vigueur sans force;
>
> (T. Corbière, *Epitaphe*.)

La variété des cadres morpho-syntaxiques est multipliée par la diversité des relations sémantiques entre éléments antithétiques. On distinguera — sans entrer dans le détail des discussions que nécessiterait la justification des catégories retenues :

a / Les termes contradictoires :

> Je me meurs de ne mourir pas.
>
> (Martial de Brives.)

b / Les oppositions binaires exclusives (qui correspondent à peu près aux oppositions privatives de la vieille logique) du genre *voyant-aveugle*, *mort-vie*, *marcher-s'arrêter* :

> Je marche et je m'arrête
> Je pars et je m'en retourne.
>
> (M. Leiris, *En proie.*)

Ces oppositions divisent le champ conceptuel en deux territoires notionnels qui s'excluent, non par une nécessité logique comme les termes contradictoires, mais par une nécessité de fait. Toute une série de notions s'organisent selon ce modèle et en particulier les termes liés lexicalement (couples de termes dont l'un est dérivé de l'autre par préfixation : *faire-défaire*) :

> Défont et refont leurs formes.
>
> (Supervielle, *Distances.*)

c / Les oppositions polaires pour lesquelles des notions intermédiaires sont concevables : *blanc-noir*, *lumière-obscurité*, *petit-grand*, *chaud-froid*. Lorsqu'il s'agit d'adjectifs, ceux-ci sont susceptibles de gradation (*plus blanc que*, *plus petit que*) :

> J'aime, noirs, leurs cheveux cernant, pâle, leur dôme.
>
> (Audiberti, *Chili quatorze cent et quelque...*)

d / Les oppositions relatives, couples de relations qui n'ont de sens que par rapport aux arguments qu'elles mettent en jeu, *devant-derrière*, *dessus-dessous*, *gauche-droite*, *haut-bas*, *père-fils*, *premier-dernier*, *l'un-l'autre...*

> L'un agace son bec avec un brûle-gueule,
> L'autre mime, en boitant, l'infirme qui volait!
>
> (Baudelaire, *L'Albatros.*)

Tous ces couples antithétiques jouent un rôle essentiel dans la poésie, parce qu'ils sont en même temps architectoniques et symboliques. Architectoniques en ce que, l'un des termes appelant l'autre, ils sont un moyen (et non un procédé) fondamental de développement : dès que le mot *vie* ou *mort* est introduit, l'autre a une probabilité très forte d'apparaître, il est donc inducteur et garantit le développement du texte, contribuant à ce que les rhéteurs appelaient l'amplification. L'antithèse va même jusqu'à organiser l'ensemble d'un poème, comme par exemple l'*Antithèse du somme et de la mort* de Catherine des Roches :

> Rien n'est plus différent que le somme et la mort,
> Combien qu'ils soient issus de même parentage...

Le poème déroule alors ses quatrains dans lesquels le plus souvent les deux premiers vers sont consacrés au sommeil, les deux derniers à la mort.

Ce rôle architectonique se fonde sur l'ancrage anthropologique de ces couples, qui structurent aussi bien la pensée de l'enfant que les systèmes mythiques les plus anciens. Ils ont aussi un rôle symbolique, car ils servent de modèle d'organisation du réel, de schéma d'interprétation qui s'applique aux diverses réalités de l'univers : pensons par exemple au rôle du haut et du bas, de la lumière et de l'obscurité dans la pensée de V. Hugo. Les antithèses se relient ainsi aux associations verbales (cf. chap. 3) et à l'imaginaire du poète.

4. FONCTION ET SIGNIFICATION DE LA RÉPÉTITION

La répétition, lexicale ou morpho-syntaxique, a un fondement anthropologique, qu'il convient de distinguer des fondements anthropologiques du rythme. Les conduites de répétition se retrouvent dans tous les domaines, du biologique au culturel : jeu d'exercice de l'enfant, qui consiste à répéter « pour le plaisir » des actions pouvant par ailleurs avoir une valeur d'adaptation; compulsion de répétition dégagée par la psychanalyse pour rendre compte de l'aspect répétitif des obsessions, des symptômes qui répètent un conflit passé, compulsion qui naîtrait du retour du refoulé (« Telle une âme en peine, il n'a pas de repos jusqu'à ce que soient trouvées résolution et délivrance », *in* Laplanche et Pontalis, *Vocabulaire de la Psychanalyse*, 1968, p. 86-88); répétitions et retours du calendrier, des mythes et des rites, où l'on doit recommencer un geste trois, sept ou treize fois, qui répètent eux-mêmes cycliquement ce qui a déjà et toujours eu lieu et s'expriment immédiatement par des chansons répétitives :

> Voici le mois de mai
> On a la tirelire
> Voici le mois de mai
> Que donn'rai-je à ma mie ?
> Nous lui plant'rons un mai
> Devant sa port' jolie...

La répétition se retrouve dans le rythme et la musique, mais nous avons voulu isoler ici une composante non rythmique de la répétition qui, dans la poésie, s'organise et se construit de manière spécifique, donnant naissance aux configurations que nous avons analysées.

C'est parce qu'elle a ces valeurs anthropologiques que la répétition a une multiplicité indéfinie de significations : comme toute régularité humaine, la répétition ne prend son sens que dans le contexte complexe dans lequel elle s'insère. On peut donc seulement proposer une classification grossière de ses fonctions en poésie :

a / Fonction d'insistance. Lorsque Rotrou reprend 7 fois le nom de Laure dans les 7 vers qu'il place dans la bouche du prince Orantée, c'est pour montrer l'intensité de son dépit amoureux :

> Moi! que je souffre Laure et lui parle jamais!
> Que jamais je m'arrête et jamais je me montre
> Où Laure doive aller, où Laure se rencontre!
> Que je visite Laure et la caresse un jour!
> Que Laure puisse encor me donner de l'amour!
> Qu'ayant reçu de Laure un traitement si rude,
> Laure me puisse plus causer d'inquiétude!

(Rotrou, *Laure persécutée*.)

Et lorsqu'il reprend conscience de son amour, le nom de Laure va revenir 8 fois dans 8 vers (vers 1286-1294), c'est-à-dire, comme dans la tirade précédente, une fois par vers. Remarquons que cette insistance peut avoir une signification comique ou ironique aussi bien que dramatique ou lyrique; ce qui montre bien l'indépendance relative de la fonction par rapport à la signification : la répétition est un procédé bien connu et efficace de comique.

b / Fonction d'incantation (nous empruntons ce terme, comme le précédent, à l'excellent livre de M. Boulton, 1953). Nous pensons d'abord, bien sûr, au rôle que joue la répétition dans le rituel, magique ou religieux, dans la prière, dans la litanie, etc. Sur un registre plus familier, le refrain de chanson — en particulier lorsqu'il n'a pas de rapport direct de sens avec les strophes — a une valeur du même genre :

> Blaise, dis, sommes-nous bien loin de Montmartre ?
>
> (B. Cendrars, *Prose du Transsibérien.*)

La répétition poétique cherche à exprimer et à produire l'effet de la transe, dans laquelle l'individu opère la conjonction entre une technique — technique du corps, du rythme et de la voix — et l'évocation d'un monde imaginaire (non pas au sens d'illusoire mais au sens de réalisation imagée, de production d'images) :

> Dans la nuit
> Dans la nuit
> Je me suis uni à la nuit
> A la nuit sans limites
> A la nuit.
>
> (H. Michaux, *Dans la nuit.*)

c / Fonction d'enchaînement et de construction. Il y a dans certaines chansons populaires reprise du dernier vers d'une strophe pour commencer la strophe suivante :

> En revenant de noces, j'étais bien fatiguée,
> A la claire fontaine, je me suis arrêtée.
>
> A la claire fontaine, je me suis arrêtée...

De la même façon deux laisses de chansons de geste sont souvent liées par la correspondance qui existe entre elles, la deuxième reprenant des éléments qui se trouvaient soit à la fin soit au commencement de la laisse précédente [cf. Rychner, 1955, p. 68 et suivantes] :

laisse 84	laisse 85
Cumpainz Rollant, l'olifan car [sunez	Cumpainz Rollanz, sunez vostre [olifan,
Si l'orrat Carles, fera l'ost re- [turner...	Si l'orrat Carles, ki es as porz [passant

Dans ce cas, la reprise plus ou moins variée sert de point d'appui pour relancer le récit, en conformité avec les lois du moindre effort qui gouvernent la composition orale.

d / Fonction d'organisation du texte enfin (fonction architectonique). Les reprises de toutes sortes — répétitions et parallélismes — associées aux structures rythmiques donnent au texte une organisation plus ou moins dense et cohérente. L'importance des répétitions conduit à une typologie du discours poétique dont les deux pôles sont constitués par une poésie de la répétition d'un côté et une poésie de la différence et du changement de l'autre; d'un côté *La Jeune Captive* de Chénier et *Ulalume* de Poe traduit par Mallarmé, de l'autre les poèmes d'André du Bouchet, certaines formes de poésie narrative ou didactique, la poésie de l'épître et de la conversation.

Il est essentiel de souligner que la répétition joue un rôle d'autant plus grand que se relâchent ou disparaissent les contraintes de la poésie classique; dans le vers libre et le poème en prose, la répétition et le parallélisme sont les substituts du mètre et de la rime, comme on peut le noter chez Rimbaud *(Marine)* ou G. Kahn :

> Voici des bouquets pour la fiancée,
> des feuilles de lierre, du jasmin, du muguet
> et des fleurs douces de fraisier;
> voici des bouquets pour la fiancée
> modeste comme jasmin, discrète comme muguet.
>
> (G. Kahn, *Violoneux de Lorraine.*)

Dans certains cas, comme nous l'avons vu, le poème est construit sur un schéma qui sert de matrice unique à la production du texte :

> C'est le vent du Sud qui fait l'amour aux scabieuses
> c'est le vent du Sud qui fait l'amour au soleil
> c'est le vent du Nord qui fait la mort à la terre
> c'est le vent du Nord qui fait la mort à l'amour...
>
> (G.-E. Clancier, *Chanson de la rose des vents.*)

Ouvrages de base : Alonso et Bousoño, 1970; Jakobson (R.), 1963, 1966, 1973; Ruwet (N.), 1972; Molino (J.), 1981.

Conclusion

Les limites de notre propos apparaissent maintenant avec clarté : nous avons peu parlé de sémantique et nous n'avons pas du tout abordé les problèmes posés par la pragmatique de la poésie, qu'il s'agisse de poïétique — rapports du poème à celui qui l'a produit —, ou de l'esthésique — rapports du poème à son lecteur. Et cependant il est bien certain que nous nous projetons sur un poème autant que le poète se projette en lui. Par ailleurs, étant donné notre volonté de garder un certain équilibre entre les continuités et les ruptures dans l'histoire de la poésie, nous avons relativement moins insisté sur ce dernier aspect : il conviendrait donc de mieux préciser le développement et les conditions de la crise de la poésie telle que nous la vivons aujourd'hui. Enfin, nous avons laissé de côté tout ce qui a trait à la construction du poème pour n'étudier que le fonctionnement local du poème. On voit donc tout ce qui reste à faire dans le domaine de son organisation globale, strophes, types d'enchaînements, genres, et de l'organisation de séries de poèmes qui se répondent, les recueils. Nous espérons revenir sur la plupart de ces questions dans un autre travail.

Terminons sur un rappel et sur une mise en garde, qui pourraient prendre la forme d'une prière pour le bon usage de ce livre : nous n'avons songé qu'à fournir des instruments d'analyse. Nous n'avons prétendu ni donner les clefs de la poésie ni révéler comment il faut la comprendre ou même l'expliquer. Le contact de chacun avec le texte du poème est une rencontre imprévisible, comme l'est une rencontre entre deux êtres et il serait bien présomptueux de vouloir en rendre compte. Nous avons seulement proposé quelques outils immédiats utiles pour la description de ces rencontres qui, si l'on en croit Y. Bonnefoy, font vivre la poésie, et justifient ainsi sans doute le travail du critique : « Dans l'œuvre qui « abolit » la présence, la poésie (ce jugement que l'art porte sur soi) fait que l'écrivain est présent, bien que privé des pouvoirs de la présence. Et c'est assez pour que quelque lecteur s'éveille, délaisse lui aussi la sécurité des mots, aime le Sisyphe lassé, en recommence la tâche... La poésie est un lieu où l'on peut entrer, un lieu où une voix, comme Phénix, est morte d'être une langue, mais pour renaître parole. »

Bibliographie

1. — ANTHOLOGIES

Il nous a semblé utile de mentionner un certain nombre d'anthologies qui se recommandent par des vertus très diverses : facilité d'accès, intérêt « archéologique », choix caractéristique d'un amateur, etc.

ALLEM (M.), *Anthologie poétique française, XVIe siècle*, 2 vol., Garnier-Flammarion, 1965; *XVIIe siècle*, 2 vol., Garnier-Flammarion, 1965; *XVIIIe siècle*, Garnier-Flammarion, 1966.

ARLAND (Marcel), *Anthologie de la poésie française*, Paris, Stock, 1960.

BEDOUIN (J.-L.), *La poésie surréaliste, Anthologie*, Paris, Seghers, 1975.

BONETTI (P.) et WALCH (G.), *Anthologie des poètes français contemporains*, 5 vol., Paris, Delagrave, 1958.

CAILLOIS (R.) et LAMBERT (J.-C.), *Trésor de la poésie universelle*, Paris, Gallimard, 1958.

CLARAC (P.) et DULONG (G.), *Les Poètes français du XIXe siècle et de la période contemporaine*, Paris, Delalain, 1955.

DECAUNES (L.), *La Poésie romantique française*, Paris, Seghers, 1973.

— *La Poésie parnassienne*, Paris, Seghers, 1976.

DELVAILLE (B.), *La Poésie symboliste*, Paris, Seghers, 1971.

— *La nouvelle Poésie française*, 2 vol., Paris, Seghers, 1977.

DUVIARD (F.), *Anthologie des poètes français*, 5 vol., Paris, Larousse, 1947-1954.

ELUARD (P.), *Première Anthologie vivante de la poésie du passé (XIIe-XVIIe siècle)*, 2 vol., Paris, Seghers, 1951.

GIDE (A.), *Anthologie de la poésie française*, Paris, Gallimard, 1949.

KANTERS (R.) et NADEAU (M.), *Anthologie de la poésie française*, 12 vol., Editions Rencontre, 1966-1967.

MAMBRINO (J.), *La Poésie mystique*, Paris, Seghers, 1973.

MARY (A.), *Anthologie poétique française; Moyen Age*, 2 vol., Paris, Garnier-Flammarion, 1967.

MAYNIAL (E.), *Anthologie des poètes du XIXe siècle*, Paris, Hachette, 1929.

The Penguin Book of French Verse, 4 vol., London.

POMPIDOU (G.), *Anthologie de la poésie française*, Paris, Hachette, 1960.

ROUSSET (J.), *Anthologie de la poésie baroque française*, 2 vol., Paris, Colin, 1961.

SABATIER (R.), *Histoire de la poésie française*, 6 vol., Paris, A. Michel, 1975-1977.

SEGHERS (P.), *Le Livre d'or de la poésie française*, 3 vol., Paris, Marabout, s.d.
— *Le Livre d'or de la poésie française contemporaine*, 2 vol., Paris, Marabout, 1972.
ZUMTHOR (P.), *Anthologie des grands rhétoriqueurs*, Paris, « 10/18 », 1978.

2. — OUVRAGES ET ARTICLES DE RÉFÉRENCE

ALONSO (D.), *Poesía española*, Madrid, Gredos, 1952.
— et BOUSOÑO (C.), *Seis calas en la expresión literaria española*, Madrid, Gredos, 1970.
BEARDSLEY (M. C.), Verse and music, in *Versification : major language types*, W. K. Wimsatt ed., New York University Press, 1972.
BERGER (B.), *Vers rapportés*, Karlsruhe, 1930.
BLAIR (H.), *Cours de rhétorique*, Genève, 1808.
BOULTON (N.), *The Anatomy of Poetry*, London, Routledge, 1953.
BOWRA (M.), *Chant et poésie des peuples primitifs*, Paris, Payot, 1966.
BRUNOT (F.), *Histoire de la langue française des origines à 1900*, 13 t. (les t. XII et XIII étant de Ch. BRUNEAU), Paris, 1905-1953.
CARTON (F.), *Introduction à la phonétique du français*, Paris, Bordas, 1974.
COHEN (J.), *Structure du langage poétique*, Paris, Flammarion, 1966.
CORNULIER (B. de), A) Problèmes de métrique française, thèse de doctorat d'Etat; B) Métrique de l'alexandrin de Mallarmé, in *Annales de la Faculté des Lettres et Sciences humaines de Dakar*, n° 9, 1979.
— Eléments de versification française, *in* KIBEDI-VARGA (A.) édit., *Théorie de la littérature*, Paris, Picard, 1981.
— *Mallarmé, Verlaine, Rimbaud, Méthodes en métrique*, Paris, Le Seuil, à paraître.
COUPEZ et KAMAZI, *Littérature de cour au Rwanda*, Oxford UP, 1970.
CURTIUS (E. R.), *La Littérature européenne et le Moyen Age latin*, Paris, PUF, 1956.
DELOFFRE (F.), *Le Vers français*, Paris, SEDES, 3e éd., 1973.
DORCHAIN (A.), *L'Art des vers*, Paris, Bibliothèque des Annales politiques et littéraires, s.d.
DRAGONETTI, *La Technique poétique des trouvères dans la chanson courtoise*, Genève, Slatkine reprints, 1979 (1960).
DUMARSAIS (C.), *Traité des tropes*, Genève, Slatkine reprints, 1967, 1re éd., 1729.
ELWERT (Th.), *Traité de versification française des origines à nos jours*, Paris, Klincksieck, 1965.
ERLICH (V.), *Russian Formalism*, La Hague, Mouton, 1965.
FINNEGAN (R.), *Oral Poetry*, Cambridge University Press, 1977.
FONTANIER (P.), *Les Figures du discours*, Paris, Flammarion, 1968, 1re éd., 1818-1830.
FRAISSE (P.), *Les Structures rythmiques, étude psychologique*, Bruxelles, Editions Erasme, 1956.
— *Psychologie du rythme*, Paris, PUF, 1974.
FRANCE (P.), *Racine's Rhetoric*, Oxford UP, 1965.
FRANCES (R.), *Psychologie de l'esthétique*, Paris, PUF, 1968.
FUSSEL (Jr. P.), *Poetic meter and Poetic form*, New York, Random House, 1965.
GARDIN (J.-Cl.), *Les analyses de discours*, Neuchâtel, Delachaux & Nietslé, 1974.
GENETTE (G.), La Rhétorique restreinte, in *Communications*, 16, 1970.
GIRARD (abbé), *Préceptes de rhétorique*, Paris, Librairie De Perisse, 13e éd., 1841.
GRAMMONT (M.), *Le Vers français*, Paris, Delagrave, 4e éd., 1937.
— *Petit Traité de versification française*, Paris, Colin, 1965.

GRIMAUD (M.), Trimètre et rôle poétique de la césure chez Victor Hugo, in *Romanic Review*, 1980.
Groupe μ (DUBOIS J. *et al.*), *Rhétorique générale*, Paris, Larousse, 1970.
GUIRAUD (P.), *Les Caractères statistiques du vocabulaire. Essai de méthodologie*, Paris, PUF, 1954.
— *Langage et versification dans l'œuvre de Paul Valéry*, Paris.
HALLE (Morris) and KEYSER (Samuel Jay), The iambic pentameter, in *Versification : major language types*, Wimsatt ed., New York University Press, 1972.
HALLIDAY (M.) et HASAN (R.), *Cohesion in English*, London, Longman, 1976.
HALLIDAY (M.), *Language as social semiotic. The social interpretation of language and meaning*, London, Edward Arnold éd., 1978.
JAKOBSON (R.), *Essais de linguistique générale*, Paris, Ed. de Minuit, 1963.
— Grammatical Parallelism and its Russian facet, in *Language* 42, 2, 1966.
— *Questions de poétique*, Paris, Le Seuil, 1973.
KIBEDI VARGA (A.), *Rhétorique et littérature*, Paris, Didier, 1970.
— *Les Constantes du poème*, Paris, Picard, 2e éd., 1977.
Langages, nº 54, *La métaphore* (sous la direction de J. MOLINO), 1979.
Langue française, nº 49, *Analyses linguistiques de la poésie* (sous la direction de J. MOLINO et J. TAMINE), 1981.
LAUSBERG (H.), *Handbuch der literarischen Rhetorik*, München, Max Hueber Verlag, 1960.
LEECH (G.), *A linguistic guide to English poetry*, Longman, 1969.
LEON (P. et M.), *Introduction à la phonétique corrective*, Paris, Hachette/Larousse, 1966.
— *Prononciation du français standard*, Paris, Didier, 1966.
— *Essais de phonostylistique*, Paris, Didier, 1971.
LEVIN (S.), *Linguistic structures in Poetry*, La Hague, Mouton, 1962.
LEWIS (C. D.), *Poésie pour tous*, Paris, Seghers, 1953.
LORD (A. D.), *The Singer of tales*, New York, 1968.
LOTE (F.), *Histoire du vers français*, t. I, Paris, Boivin, 1949.
— *Histoire du vers français*, t. II, Paris, Boivin, 1951.
LOTZ (John), Elements of versification, in *Versification : major language types*, Wimsatt ed., New York University Press, 1972.
MARMONTEL, *Eléments de littérature*, 3 vol., Paris, Firmin-Didot, 1879.
MARROU (I.), *Histoire de l'éducation dans l'Antiquité*, Paris, Le Seuil, 2e éd., 1965.
MARTINON (Ph.), Le trimètre, ses limites, son histoire, ses lois, in *Mercure de France*, janvier-février, t. LXXVII, 1909.
— *Dictionnaire des rimes françaises précédé d'un traité de versification*, Paris, Larousse, 1962.
MAZALEYRAT (J.), *Eléments de métrique française*, Paris, Colin, 1974.
MESCHONNIC (H.), *Pour la Poétique IV. Ecrire Hugo*, t. I et II, Paris, Gallimard, 1977.
MILLER (G.), The magical number seven, plus or minus two : some limits on our capacity for processing information, in *Psychological Review*, 63, 1956.
MOLINO (J.), SOUBLIN (F.), TAMINE (J.), Problèmes de la métaphore, in *Langages*, nº 54, 1979.
MOLINO (J.), Fait musical et sémiologie de la musique, in *Musique en jeu*, 1975.
— Ethnolinguistique et Sémiologie, in *Actes du Colloque d'ethnolinguistique*, Paris, juin 1979, 1981.
— Sur le parallélisme morpho-syntaxique, in *Langue française*, nº 49, 1981.

MORIER (H.), *Dictionnaire de poétique et de rhétorique*, 2e éd., Paris, PUF, 1975.
MOUNIN (G.), *La Communication poétique. Avez-vous lu Char ?*, Paris, Gallimard, 1969.
NATTIEZ (J.-J.), *Fondements d'une sémiologie de la musique*, Paris, UGE, « 10-18 », 1975.
— *Les jeux vocaux des Inuits*, à paraître.
PARRY (M.), *L'Epithète traditionnelle dans Homère*, Paris, 1928.
PREMINGER (A.), *The Princeton Encyclopaedia of Poetry and Poetics*, Princeton UP, 1974.
QUICHERAT, *Petit Traité de versification française*, Paris, Hachette, 1866.
RENOUVIER (Ch.), *Victor Hugo. Le Poète*, Paris, Colin, 1932.
RICOEUR (P.), *La Métaphore vive*, Paris, Le Seuil, 1975.
RIFFATERRE (M.), La Métaphore filée dans la poésie surréaliste, in *Langue française : la stylistique*, no 3, 1969.
ROUBAUD (J.) et LUSSON (P.), Mètre et rythme de l'alexandrin ordinaire, in *Langue française*, no 23, 1974.
ROUBAUD (J.), *La Vieillesse d'Alexandre : essai sur quelques états récents du vers français*, Paris, Maspero, 1978.
ROUBAUD (J.) et LUSSON (P.), Sur la devise de *nœu et de feu* un sonnet d'Etienne Jodelle, in *Langue française*, no 49, 1981.
RUWET (N.), *Langage, musique, poésie*, Paris, Le Seuil, 1972.
RYCHNER (J.), *La Chanson de geste*, Genève, Droz, 1955.
SEARLE (J. R.), *Les Actes de langage*, Paris, Hermann, 1972.
SCHERER (J.), *La dramaturgie classique en France*, Paris, Nizet, 1950.
SOUBLIN (F.), 13 → 30 → 3, in *Langages*, no 54, 1979.
SPURGEON (C.), *Shakespeare's imagery and what it tells us*, London, 1935.
TAMBA (I.), *Le sens figuré dans les œuvres en prose du XXe siècle*, thèse de doctorat d'Etat, Paris IV, 1977.
TAMBA-MECZ (I.), *Le sens figuré*, Paris, PUF, 1981.
TAMINE (J.), Les métaphores en *de* : le feu de l'amour, in *Langue française*, no 30, 1976.
— Sur quelques contraintes qui limitent l'autonomie de la métrique, in *Langue française*, no 49, 1981.
THIBAUDET (A.), *La Poésie de Stéphane Mallarmé*, Paris, Gallimard, 1926.
THUROT, *De la Prononciation française depuis le commencement du XVIe siècle d'après les témoignages des grammairiens*, Genève, Slatkine reprints, 1966.
ULLMANN (St.), *Précis de sémantique française*, Paris, PUF, 1952.
— *Semantics*, Oxford, Blackwell, 1970.
VAN RUTTEN (P. M.), *Le Langage poétique de Saint-John Perse*, The Hague-Paris, Mouton, 1975.
ŽIRMUNSKIJ (V.), *Introduction to metrics : the theory of verse*, The Hague, Mouton, 1966.
ZUMTHOR (P.), *Langue et technique poétiques à l'époque romane*, Paris, Klincksieck, 1963.

Imprimé en France
Imprimerie des Presses Universitaires de France
73, avenue Ronsard, 41100 Vendôme
Avril 1982 — No 27 829